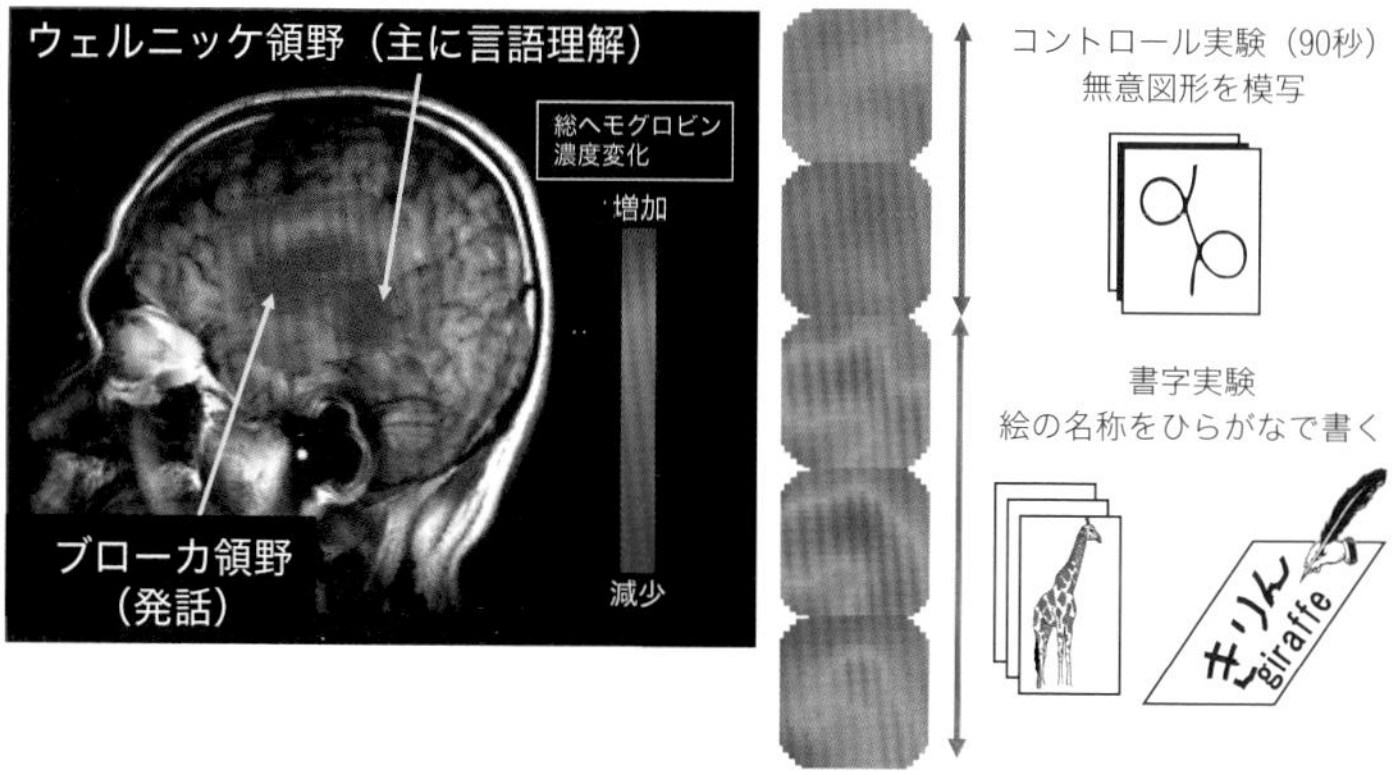

元東京女子医科大学 岩田誠氏（医師）との共同研究　　参考資料〔12〕

書字をしながら物の名称を考えている時の脳の活動
（本文55ページ）

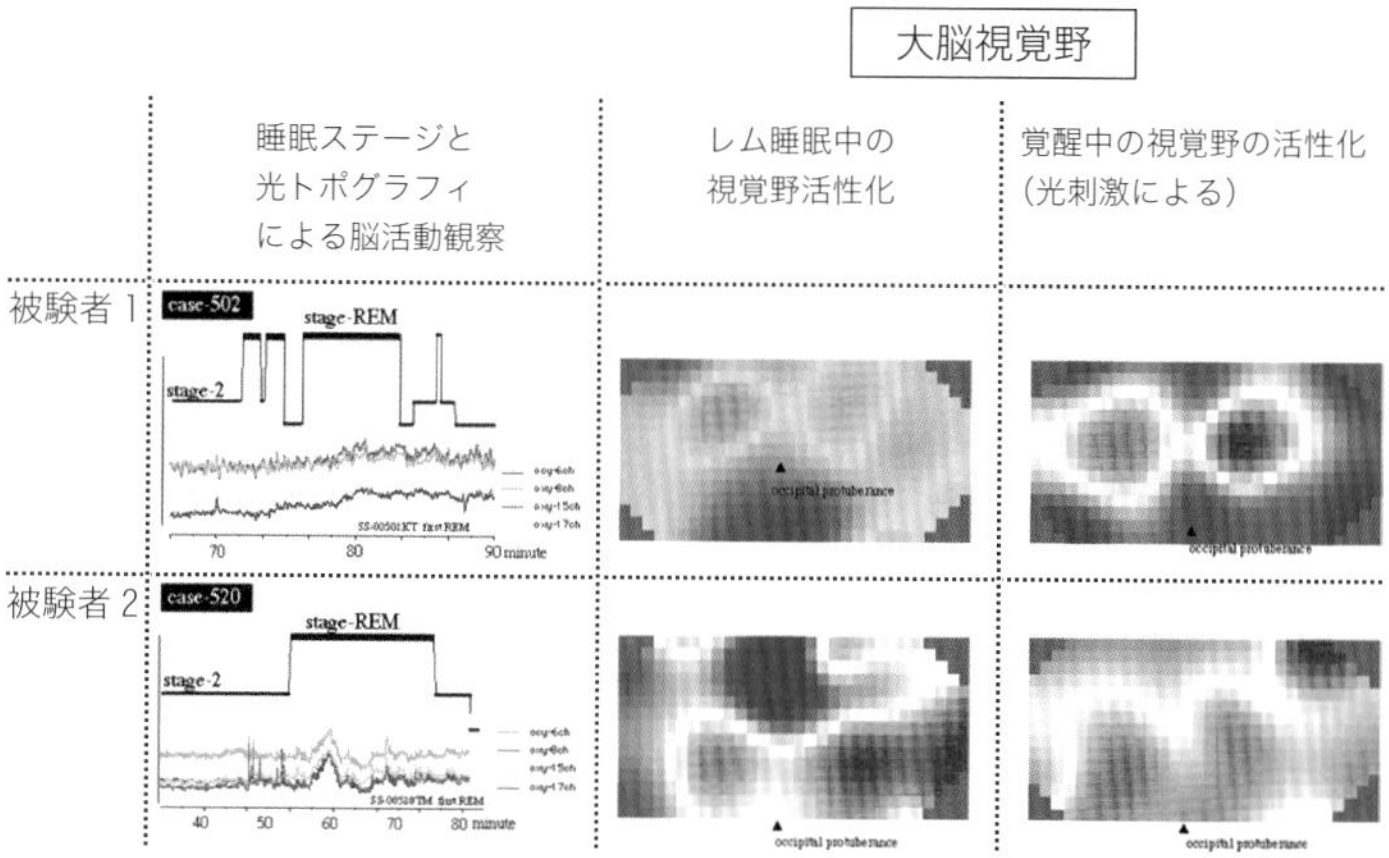

国立特別支援教育総合研究所 渥美義賢氏（医師）との共同研究　　参考資料〔12〕

睡眠中の大脳視覚野の活動（本文58ページ）

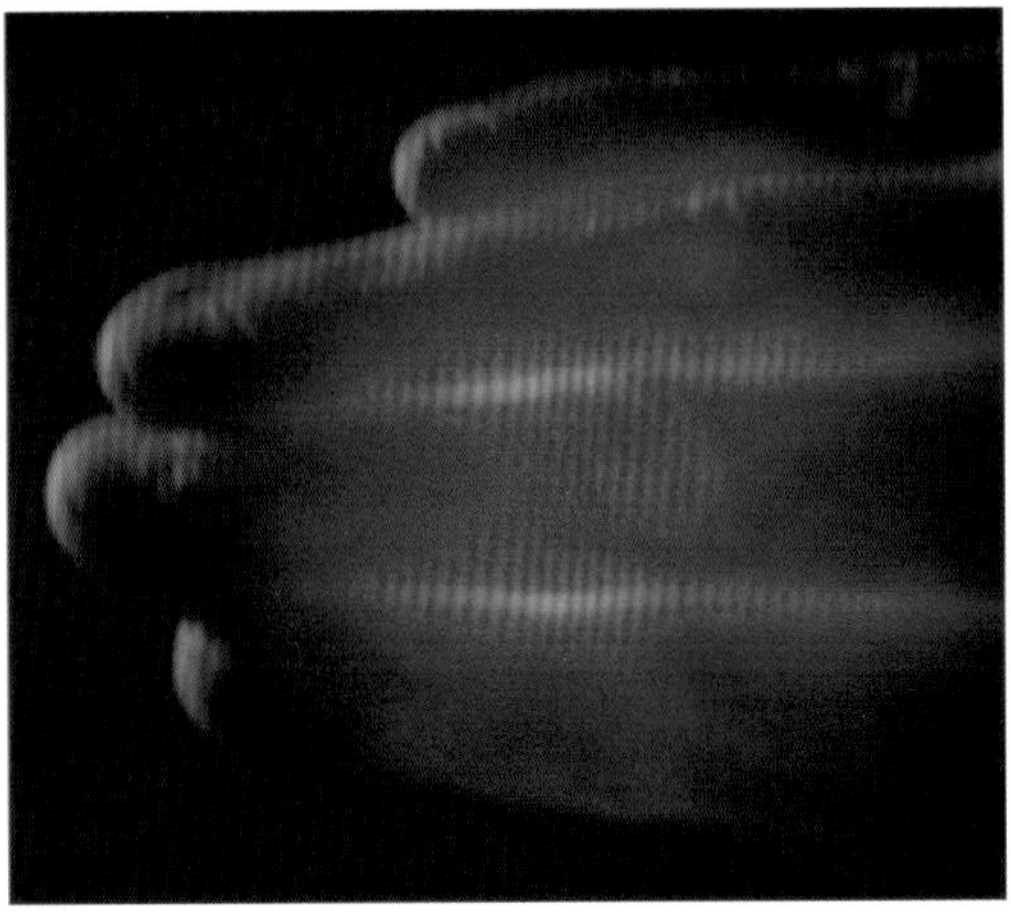

手のひらの反対側から白色の自然光を照射すると、波長の長い赤い光が透過してくる

波長の長い光は生体を透過する（本文74ページ）

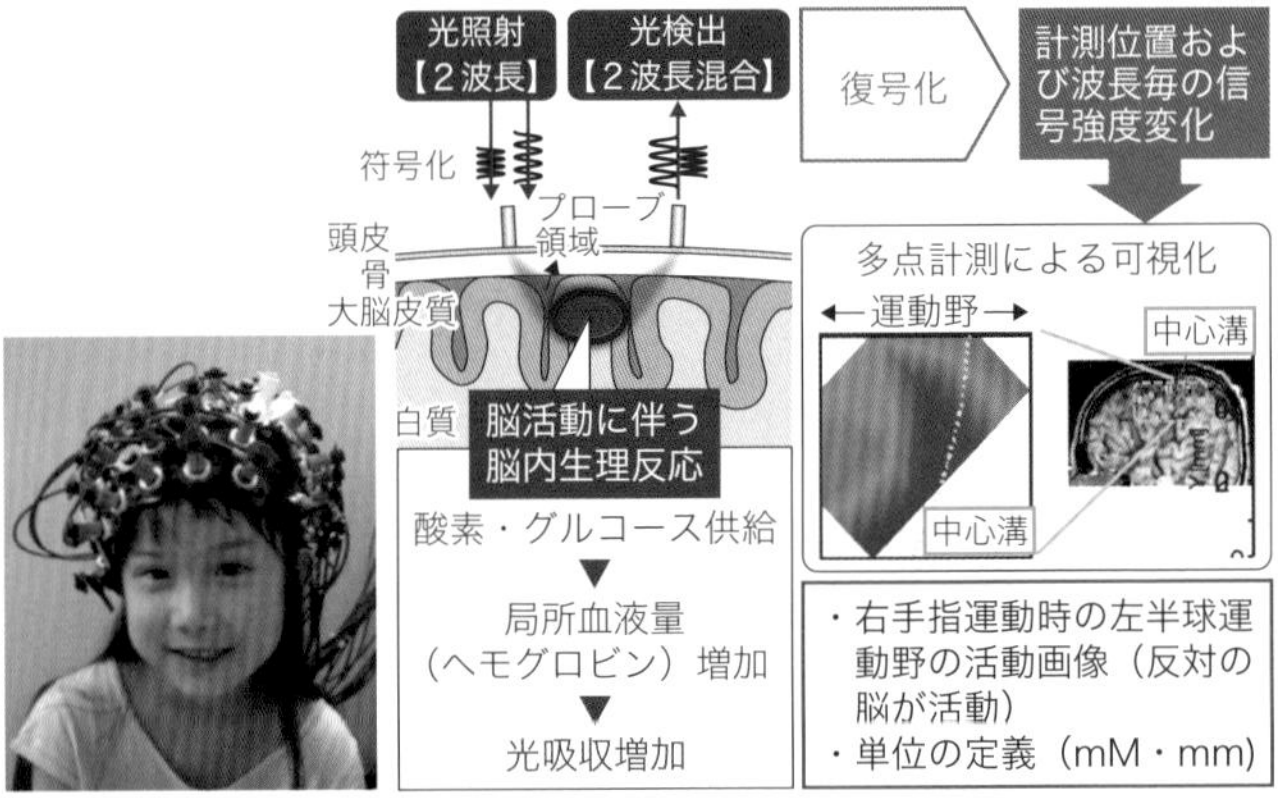

光トポグラフィの原理（本文75ページ）

(a) 視覚パターンを見る：視覚野が常に同じように活動する

(b) 童話を聞く：刻々と脳血流が変化する

2 秒おきの画像

脳の活動を映像化する技術（本文77ページ）

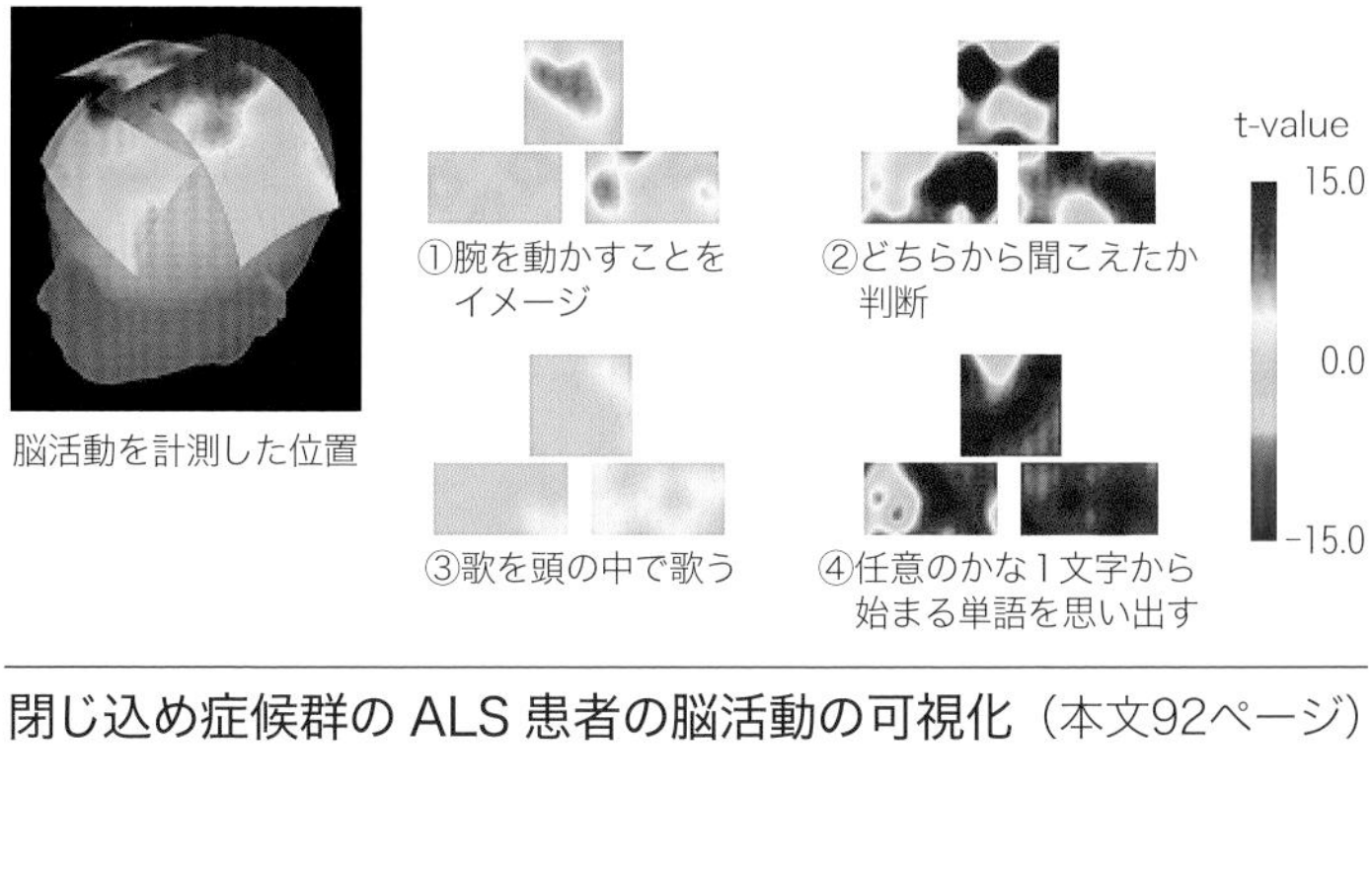

閉じ込め症候群の ALS 患者の脳活動の可視化（本文92ページ）

課題
人の脳は生まれてすぐ
母国語音に反応するか

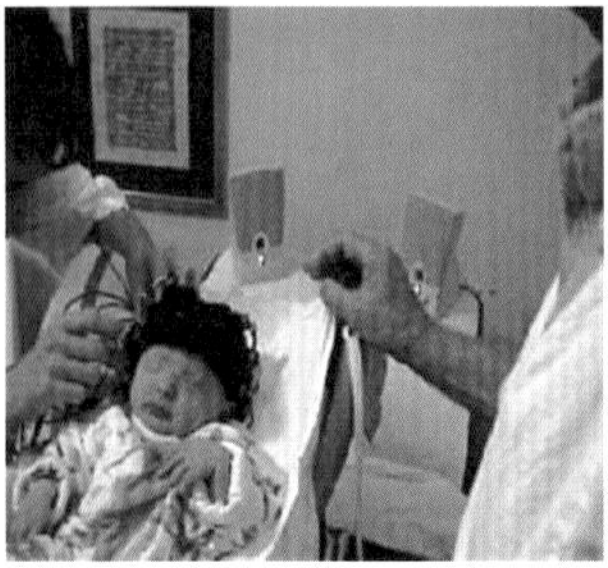

元イタリア先端研究国際大学院大学
ジャック・メレール氏との共同研究

左半球　右半球

母国語
順回しを
聞いた時

母国語
逆回しを
聞いた時

無音

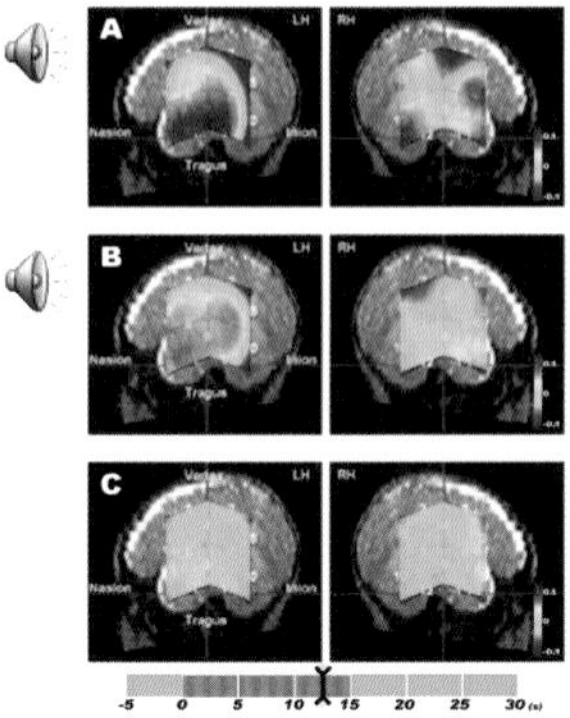

新生児の言語機能計測（本文104ページ）

被験者数：N=16 日本人新生児（生後2-7日）

— 日本語順回し — 日本語逆回し — 英語順回し — 英語逆回し　sound period　* p < 0.01　** p < 0.001

言語応答
母国語で順逆の差が大きい

聴覚応答
言語・順逆の差なし

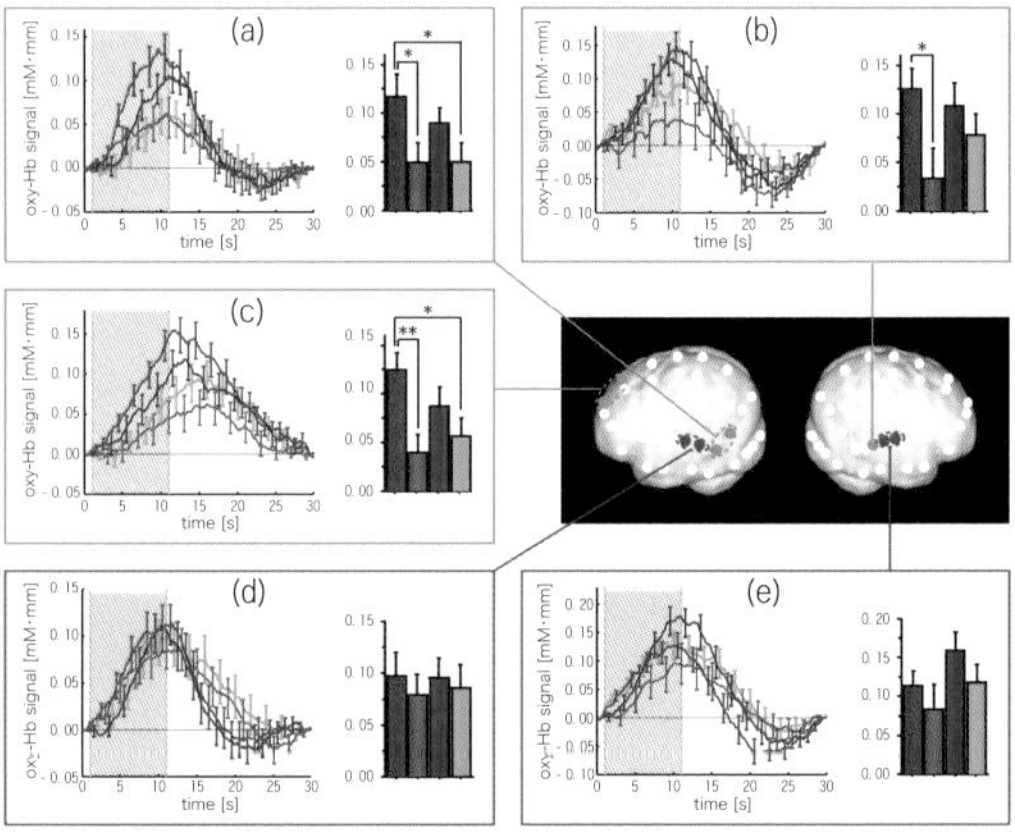

新生児の母国語、外国語に対する反応（本文107ページ）

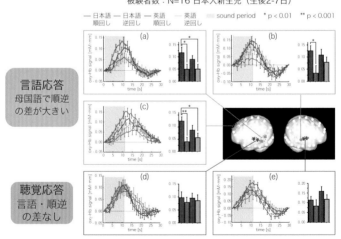

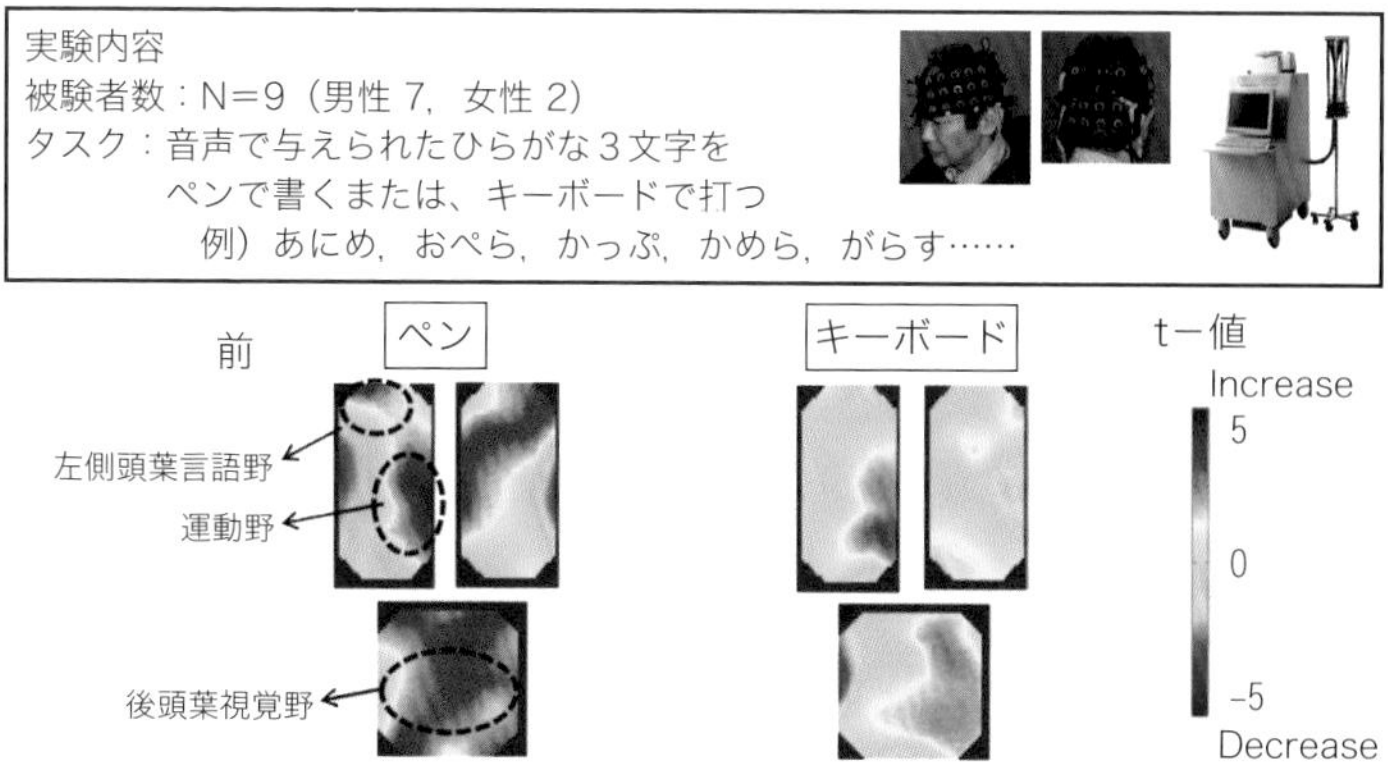

マンマシンインターフェースと脳（本文160ページ）

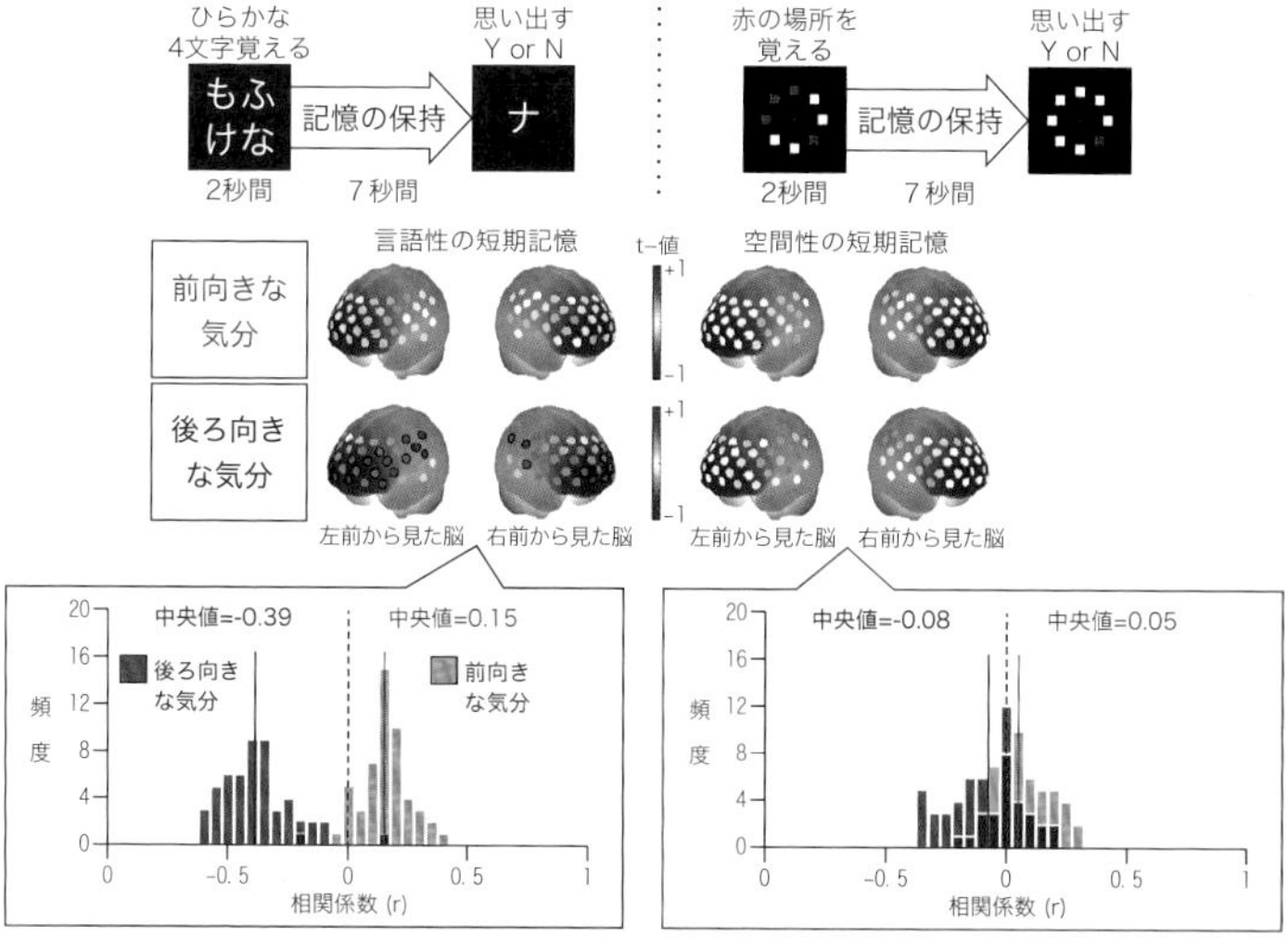

▶ 前向きな気分の時と後ろ向きな気分の時の相関係数のチャンネル数

前向きな気分と後ろ向きな気分を脳活動から計測する（本文202ページ）

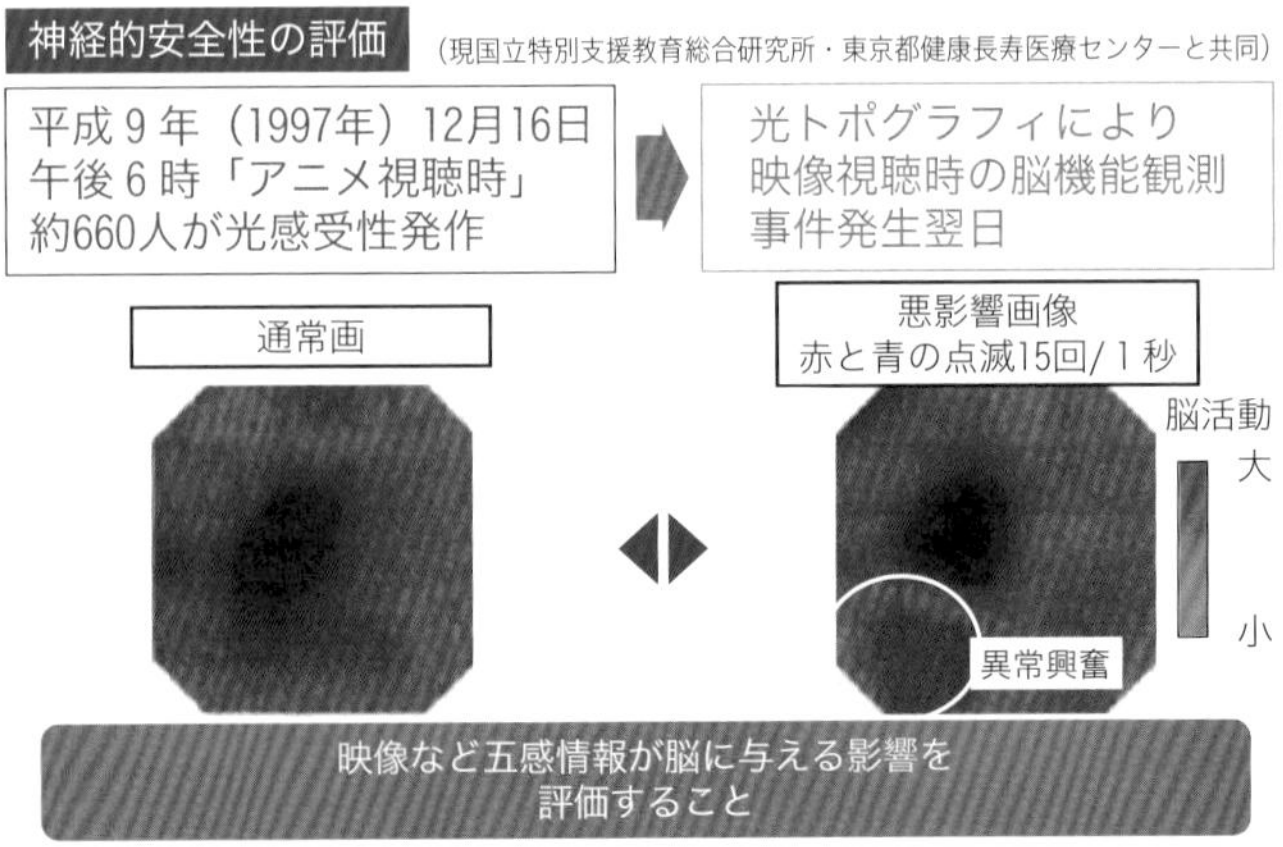

脳機能計測による情報アセスメント（本文217ページ）

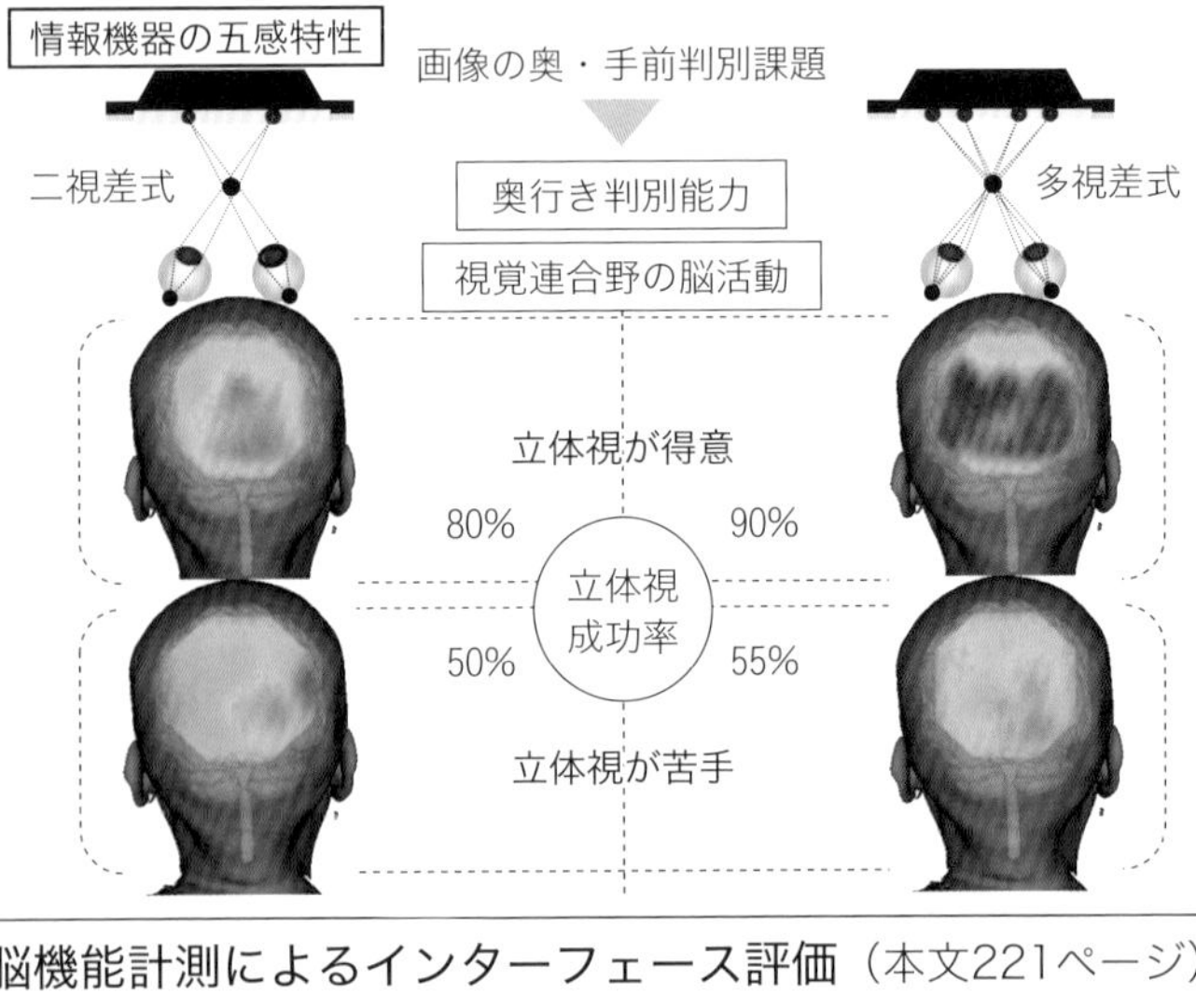

脳機能計測によるインターフェース評価（本文221ページ）

心にひびくデザイン

牧敦
MAKI Atsushi

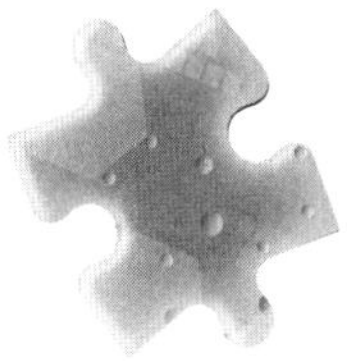

文芸社

本書を執筆するにあたり、株式会社バンダイの小沼智哉氏との出会いは大変大きなものでした。時代・価値観・立場を超えて、新しく生み出す価値を心から共有することで、異分野の方々とも社会的な価値を創造できることを学びました。

本稿は、２０１９年4月18日の慶応大学理工学部における大学院特別講義の内容をもとに執筆いたしました。全体のシナリオを考える機会を与えてくださった、慶應義塾大学にこの場を借りて御礼申し上げます。

家訓

「一灯をさげて暗夜を行く。
暗夜を憂うなかれ、
只一灯を頼め。」

佐藤一斎（言志四録）

はじめに

この本の「心にひびくデザイン」というタイトルから、審美的な側面にフォーカスした意匠デザインの内容を期待して手に取られた方は、そっと書店の本棚に戻してください。この本の内容は、生物学的な脳神経科学の視座から、私たちを取り巻く環境をいかに設計―デザイン―していくべきだろうか、ということを題材にして執筆したものだからです。ただ、審美する脳の働きを測る試み、すなわち感性を理解するための端緒となるような研究も紹介していますので、もしかすると面白く読んでいただけるかもしれません。中高生でも読みやすいように、専門用語はなるべく使わず、平易に記述しましたので、空いた時間にでも読んでいただければ望外の喜びです。

ところで、いずれ脳は脳を理解できるようになるのでしょうか？　人類は脳を客観的に評価するための計測方法や方法論を、長い時間かけて作り上げてきました。筆者らは、脳を理解しその知識を社会に還元することをめざし、研究開発そして社会実装をじわりじわりと進めてきました。それでも、脳を完全に理解し、そして、脳の働きとしての心を完全に把握するにはまだ時間と努力が必要です。一方で、脳の働きの理解をめざした研究がこの100年でとてつもなく進歩してきています。例えば、筆者らが開発してきたような日常的な環境下でも脳の働きを計測する光トポグラフィ技術やそれらを使いこなす方法、また生まれてから死ぬまでを対象とした発達脳神経科学や発達心理学、そして社会性にまで踏み込みはじめた分子生物学など枚挙に暇がありません。すなわち、「心」への科学的な挑戦とその矛先が大きく変貌しつつあるのです。

脳神経科学で得られた知識の用途は、医療・教育・ロボット工学・コンピュータサイエンスなど多岐にわたります。しかし本書では亡羊の嘆とならないよう、人間を取り巻く環境情報の最適化に脳神経科学を使うという視点に絞っています。なぜなら、脳は五感を通して受けとった情報で外界を学習し、そして、その学習に基づいて意識と意志と感情を生成するからです。人間の場合には、そこに高度な思考が追加されます。したがって、より良質な環境のもとでこそより良質な脳の働きを獲得できるはずです。「いや、遺伝的な要因が大きいはずだ」という声も当然あるでしょう。もちろん遺伝的な要因はあるので、私も酒席での戯言として、「うちの娘の頭が悪いのは私の遺伝子のせいだ」ということもあります。

しかし、一卵性双生児と二卵性双生児を比較した研究から、おおざっぱにいうと認知機能に対する遺伝因子と環境因子は半々くらいであるということが明らかになってきています[1]。遺伝因子に関しては、遺伝子治療で対応するしかありません。100年後にはデザインベビーや能力改善のための遺伝子改変が受容される社会が、来ているかもしれません。それでも、残り50％の環境因子はどうやっても残るわけです。この残り50％の環境因子を脳のより良い成長のために最適にするという課題は、脳と心の働きを知れば知るほど、ないがしろにされているように思えてなりません。

それは当然といえば当然で、五感から得られる情報についての是非について、脳が吟味するというプロセスが存在しないからです。五感から入ってきた情報は脳で情報処理され、好き嫌いくらいの判断はされますが、脳にとって良いものであるか、悪いものであるかは判断されないのです。しかし、私たちが思っているほど五感から入ってくる情報が脳に与える影響は小さくありません。V・S・ラマチャンドラン氏が発表した鏡箱を使った幻肢の研究[2]が、そのことを理解するには良い例でしょう。この事例では、不幸にして片腕を失ってしまった方が、存在する手の動きの鏡像を見るだけで、幻肢の問題（無くしたほうの腕の痛みや不規則な動きを脳が作ってしまう現象）を解決できることを教えてくれています。それも驚くべきことに、即座にです。ただ、全員に効果があるのではなく約半数だけであったところが、脳というシステムの難解さを表しています。

この研究結果から視覚的な映像が、運動制御や痛みに即時的かつとても強い影響を与えていることが理解できます。もっと身近な例でも、顕微鏡下では指先の震えが小さくなり、小さな生物の解剖や微細な手術ができるようになります。これも、顕微鏡という人工的な環境情報が、いいかえればバーチャルな情報が、人の能力を通常のギアからギアチェンジさせる現象です。こういった、即時的な効果を前提にすると、薬物のような物質的な影響よりももっと大きな力に気がつくのではないでしょうか。

私たちは、人工的な環境情報にあふれる世界の住人でありながら、その強大な影響力に気が付いていません。どうやったらその力を脳にとってより良い方向に使えるのかという意識をもっと持ち、脳への作用を科学的に明らかにすることが必要です。便利である・快適であるといった古い価値だけを追求する時代は過ぎ去り、人の心にひびき、そして共鳴することで脳の成長も促す、そんな人工的な環境設計ができるようになってきています。そういった想いを込めて、本書のタイトルを「心にひびくデザイン」といたしました。

第1章では、本書の全体に通じるテーマとして、「心にひびくデザイン」ということが、具体的にはどのようなことを意味しているのか、脳と心の関係に言及しながら、できるだけ詳しくお伝えしていきます。その際の基本となるのが、脳によって生み出される、私たちが「メンタルモデル」と呼んでいる概念です。それらについて述べた後に、より専門的な知識をお求めの方には、章末に【技術談議】として心を可視化する技術である脳機能の計測技術の少し深い話も記載しています。みなさんのニーズに応じて、そちらもご活用いただければと考えています。

続く第2章では、幼い子どもの「遊び」にフォーカスする形で、「心にひびくデザイン」の社会的な実装方法について具体的に紹介します。社会の未来を創る子どもたちの脳を育むために取り組んできた試みとして、いくつかの具体例と共に詳しく見ていきます。特に、本書を執筆するきっかけともなった、㈱バンダイとの共同研究によっていくつもの玩具＝「遊び」をデザインし、それらが子どもの成長をどのように支えてきたか、そして今もなお支え続けているか、その詳細を、ぜひともみなさんに知っていただきたいと思います。将来は、脳の発達を完全に理解し、生まれてから天寿を全うするまで、「遊び」を通して脳を育むことが普通になるでしょう。

第3章では、「遊び」から「学び」へとテーマを移します。脳神経科学の技術や知見を様々に応用したインターフェース技術を開発することで学習効果を高める、あるいは、脳が感じる光の波長や色彩を変えることで、継続的に高い認知機能を維持するという実例を紹介いたします。教室では生徒が書いた文字を視覚的に共有するだけで教育の効果が高まる、勉強部屋の照明を脳が好む色に変えるだけで自然と認知機能がアップする、などといわれるとにわかには信じがたいかもしれません。しかし、脳神経科学はそれを裏付けるレベルにまで進化してきています。そのことをぜひお伝えできればと考えます。

まとめの第4章では、先人から引き継ぎ、私たちが積み重ねてきた脳神経科学の成果は、現在の社会が抱える課題に対して何ができるのか、これから何をめざしていくべきなのか、将来に向けた考えを、「社会をデザインする」という観点でお伝えします。これまでは主に個としての人間の行動にフォーカスしてきた科学が、脳機能に対する知見を深めその知識基盤をもとに、人間の心にさらに重きを置く形で社会の未来にとってより豊かな社会を築いていくこと、そして、人工的な脳としての計算機が人の心に踏み込み、未来の社会へどのように関わっていくのか。筆者の考える「心にひびく社会のデザイン」の未来に少しでも付き合っていただければ幸いです。

目次

はじめに　11

第1章　心にひびくデザイン　21

1．押し間違いはあなたのせい？　22
エレベーターの不思議　22
心にひびくようにデザインする　29

2．脳と心の関係について　34
「メンタルモデル」を理解する　34
本書における脳と心の関係性　40
メンタルモデルはどのようにして作られるのか　48

3．メンタルモデルを可視化する技術—脳機能計測技術　52
心の可視化は可能か？　52
心の可視化はどこまでいくのか　58
脳と遺伝子と環境　62

補章　技術談議「脳機能計測技術の少し深い話」　68
光を使って脳機能を測る　68
脳機能計測技術の歴史　70
脳機能計測技術の使い方　86

第2章　心にひびく「遊び」のデザイン　99

1. 遊びのデザインのはじまり　100
遊びとデザインのつながり　100
子どもとの縁のはじまり　103
2. 遊びとデザインの融合　110
バンダイとの出会い　110
そして方向性は決まった　112
3. 脳を育てる「ごっこ遊び」　121
心を育む環境のために　121
脳発達を考慮した新しい開発プロセス　126

初期段階の社会性を育む　133
4. 心へ配慮した新しい時代の製品開発の方法論　139
「心への効果」のアセスメント　139
スタンダードとなったラボシリーズ　145

第3章　心にひびく「学び」のデザイン　153

1. 脳神経科学を使って良質な「学び」をデザインする　154
学びをデザインするということ　154
ペンはキーボードよりも強し？　157
教育効果を高めるインターフェース　166
2. 「学び」への効果は発揮されたか　175
作文への教育効果　175
算数にも効果が見られる　179
3. 「学び」と光、「学び」とやる気への脳神経科学的アプローチ　184
学びに適した光環境　184
光は眠りに作用する　186

光の色が認知機能に作用する　192
やる気メーターの開発　199

第4章　心にひびく「社会」のデザイン　207

1. 脳と社会　208
社会課題を脳神経科学で解く　208
脳機能計測が教えてくれるモノや情報の社会的価値　216

2. 脳と計算機　229
高度な知能を持った機械に求める役割　242
自分を理解してくれる知能を受け入れるか　248

3. 社会性を育む　257
発達から考える社会性　257
社会性は個人の所有物か？　264

あとがき　269
参考資料　285

第1章　心にひびくデザイン

1. 押し間違いはあなたのせい?

エレベーターの不思議

心にひびくデザインの話が、どうしてエレベーターから始まるのか? おそらくみなさんは、そのような疑問を抱かれたところではないでしょうか。ですが、私が、現在主な研究対象としている「脳と心」は、エレベーターの開閉ボタンに代表されるデザインと、実は深いところで結びついているのです。

本章では、私がこれまで行ってきた研究の概要を通じてそのような見えないつながりを明らかにし、そのうえで、社会の未来にとって、広い意味での環境デザインを考えていくことがいかに大切であるのかをお伝えしてまいります。とはいうものの、「脳と心」を扱う脳神経科学というのは、みなさんにとってなかなかなじみのない分野です。したがって、いきなり理屈の話に入る前に、具体例とともに見ていきたいと思います。

そして、その具体例こそが今から取り上げるエレベーターのボタンデザインなのです。

みなさんがお住まいのマンションやアパート、あるいはオフィスビル、大学のキャンパス、家族で休日に出かけるショッピングモール。挙げるとキリがないのでこの辺で止めますが、エレベーターのない暮らしというものを、現代の私たちはもはや想像することができません。私の今の仕事場は４階にあるので、私自身も毎日エレベーターを使っています。そして、ときどき開閉ボタンを押し間違えます。

おそらくはみなさんも、私と同じ経験をお持ちのことと思います。乗り込んだあとドアを閉めようと思って開ボタンを何度も押す、あるいは、降りる時に親切心で閉ボタンを押すつもりがうっかり開ボタンを押してしまい、気まずい思いをする。または、慌てて乗り込もうとする人を助けるために開ボタンを押したつもりが、不幸にして閉ボタンを押してしまい、相手の方の肩をはさんでしまう。

こうしたことは、エレベーターにまつわる「失敗」としてみなさんの心に記憶されます。その頻度や内容は人によってさまざまでしょうが、失敗の経験は次回の行動に影響を与え、親切心でボタンを押すことを避けるようになるかもしれません。

できれば同じ失敗は繰り返したくない。

そう考えるのは、私たちが人間であるうえで当たり前のことです。ですが、私は、というよりも現代の脳神経科学は、ここでひとつの質問を、みなさんに対して投げかけることになります。

はたしてそれは、本当にみなさんの失敗なのでしょうか？

図1に示したのは、私たちが以前に30名の参加者に対して行った、実験の様子とその実験で用いたエレベーターのボタンデザインです。開閉ボタンのデザイン①から③として示されているのが、まさに私たちが毎日の生活のなかで目にしている図柄です。比較対象としているデザイン④から⑦は、私たちが新しく作成したデザインです。私たちはこれらのデザインをディスプレイに映し出し、音声ガイダンスにしたがってどちらかのボタンを押してもらう実験を重ねました。それぞれのデザインに対して、一人当たり20回ずつ30人のトライアルで、計600回のトライアル

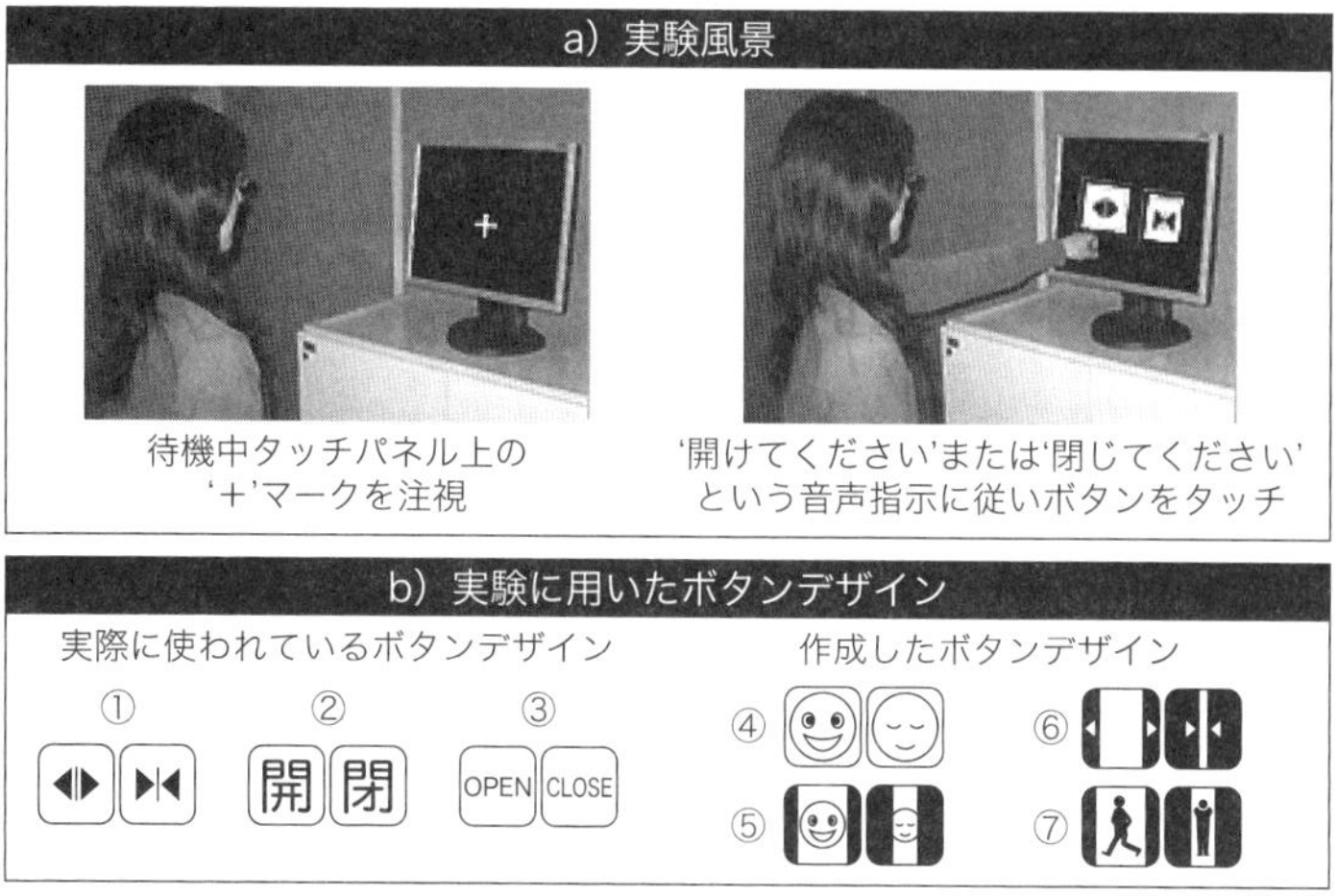

図1　エレベーターのボタンデザインの行動実験

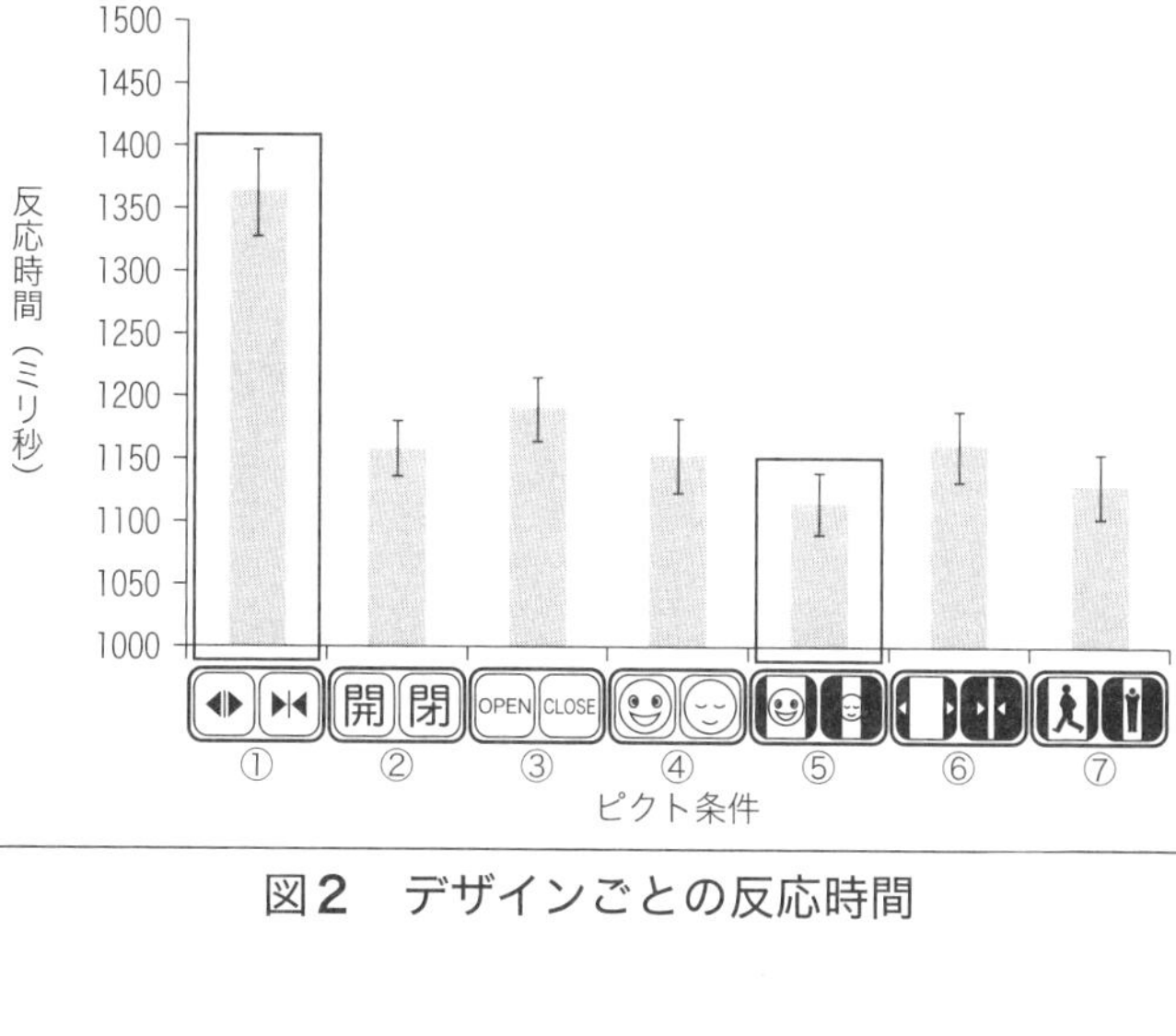

図2　デザインごとの反応時間

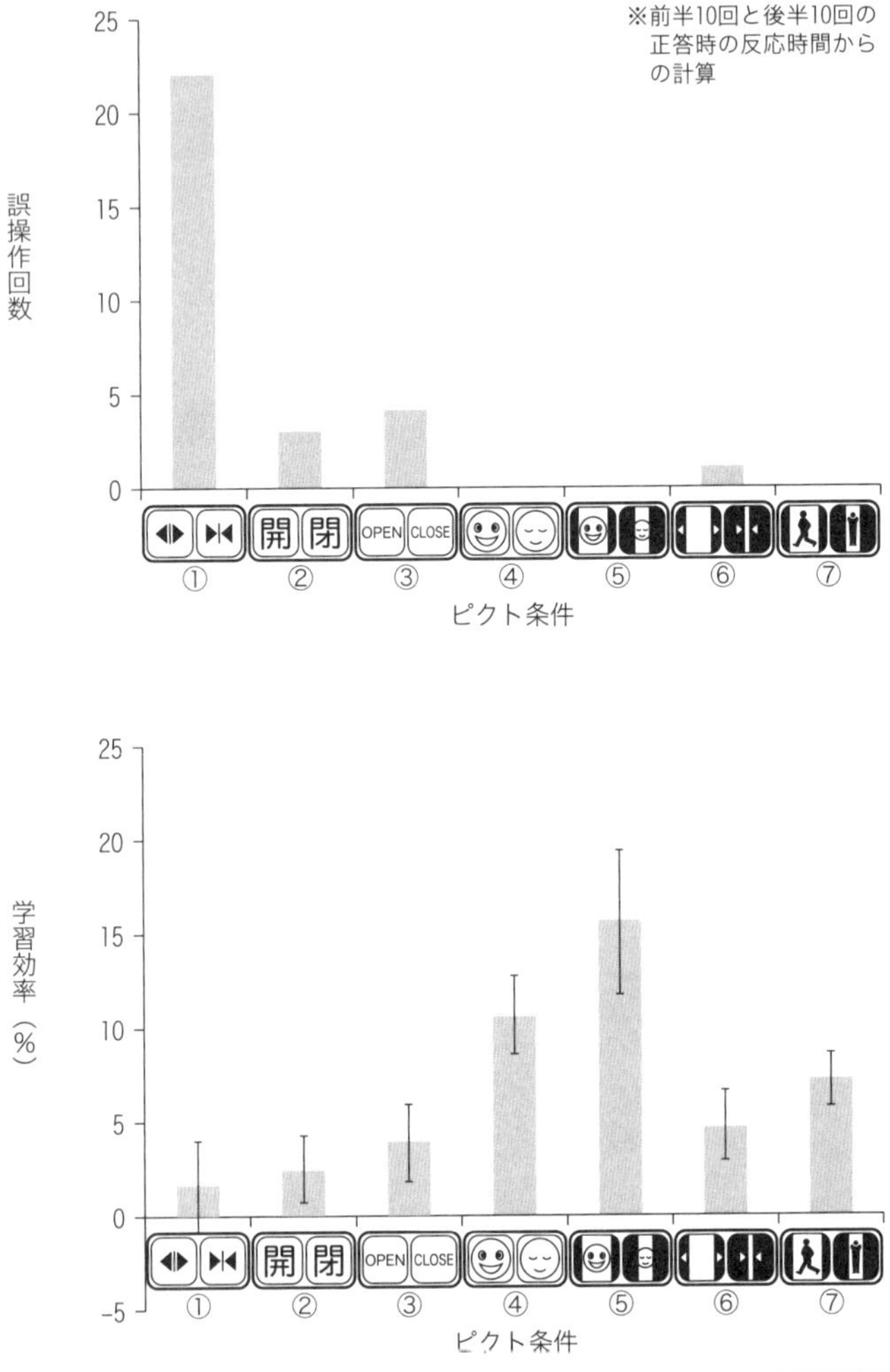

図3　デザインごとの累積の押し間違いと学習効率

が行われ、その時の反応時間と誤操作の回数をカウントしたのです。

図2のグラフには、各デザインに対する30人の反応時間の平均値を示します。特に成績が良かったデザイン⑤は、見ていただくと分かるとおり、人間の顔の形が描かれ、しかも閉ボタンは顔がドアに挟まれる様子を示しています。もっとも結果が良かったデザイン⑤と最も結果が思わしくなかったデザイン①を四角で囲って表示しました。こんなに反応時間に差が出てしまうのです。

図3の上のグラフは、デザインごとの累積した押し間違い回数を示しています。ここでも、デザイン⑤は優秀で一度も押し間違いを起こしませんでしたが、デザイン①の場合には22回の押し間違いがありました。デザイン①は、よく考えてゆっくり押しているはずなのに間違いを起こしてしまうのです。

そして、下のグラフには、前半10回と後半10回のトライアルの中から正しく押せた場合だけを選んで、反応時間がどの程度改善されるか、効率を示しました。0というのは、前半も後半も反応時間が変わらないということで、10%であれば反応時間が10%速くなるということを意味しています。すなわち学習効率になります。この結果からも、デザイン①はほとんど学習することがができないことが分かりますが、デザイン⑤はその数値は約15％改善し学習しやすいデザインであるということができます。
端的にいうと、デザイン⑤の場合には、脳で考える時間が大幅に短くなったということです。このデザインは、他のデザインと比べて反応時間が顕著に短いにもかかわらず、エラーもなく、学習もしやすいデザインというとても不思議な結果となりました。

もちろん、この実験では30名が同じ条件の下でボタンを押しています。また、提示するボタンデザインの順番も人によってランダムに入れ替えて計測しているので、計測順序の影響も考慮されています。もちろん実験の結果には、個人差は含まれていますが、平均と個人のばらつきを考慮して統計的に評価すると、明らかにデザイン⑤が優れているのです。
そこでもう一度、先ほどの問いを繰り返します。

はたしてボタンの押し間違いは、本当にみなさんの失敗なのでしょうか？

答えはもうお分かりですよね？　そうです。エレベーターの開閉ボタンの押し間違いは、ほとんどの場合がみなさんの失敗ではなく、ボタンの側の「デザイン」の失敗なのです。それまでご自分を責めていたみなさん、少しはお気持ちが救われたでしょうか？　それでは、なぜこのようなことが起こるのでしょうか。

心にひびくようにデザインする

本書は「心」を理解して、私たちの周りの環境を「デザイン（設計）」することをテーマとしています。

「そうはいうけど、心なんてどこにも見えないし、デザインや設計のしようがないじゃないか」

そんな疑問をお持ちになると思います。それはある意味、当然のことと思います。だとすれば、その目には見えない「心」の働きを明らかにして、そこから得られる知識をどのように「デザイン」に生かしていくのかを理解してもらうこと。それが本書の一番の目的ということになります。みなさんの心の働きに即してあらゆるものをデザインする。すなわち、そのデザインされたものは、みなさんの心に当然「ひびく」ものなのです。

みなさんが「デザイン」や「デザインする」という言葉から受け取る印象は、ほとんどの場合、物の色や形に関係しているものと考えます。もう少し具体的にいうと、洋服や靴、家電製品、あるいは、車や建物などの外観についてデザインするというイメージを持つものと想像します。
そして、物の色や形が心にひびくということは、それらを見て感動する、美しいと感じる、だれかに勧めたいと思う、おそらくそんな気持ちと結びついていることでしょう。一般的には感性という言葉で語られる世界です。もちろん、そうした理解や感覚、そして感性で語り、共感されるような審美的な形状で表現することもすべて正解です。

ですが、それらとは違った視点のデザインについてお伝えしたい、というのが本書のめざすところです。本書が意図するデザインとは、物の色や形はもちろんのこと、みなさんが居住する部屋のレイアウト、日々の生活スタイル、遊びや学び、さらには仕事の進め方、それらのものをも包含するものです。

日本では、デザインという言葉は審美的な要素を色濃く持つ言葉として使われていますが、元々の意味するところは計画を記号として表現するという意味のラテン語 designare から来ています。[※] 英語のDesignは設計と訳すこともできます。本書では、デザインという言葉は本来の意味に近い語感で使っていきたいと思います。

つまり、デザインとは美しさや感動だけではなく、暮らしやすさや使い勝手、みなさんの人生の生き方、そんなことにも大きく、そして深く、関わっていて、そしてそれらは設計すべきものなのです。でも、そんな心にひびくデザインを実感することは、とても難しいことですよね？　その理由は、感じる主体がみなさんの顕在意識だけではないからです。

もっというと、みなさんの潜在意識、いいかえれば脳が、みなさんの生活とデザインとのつながりを自然と受け止め、そのデザインに影響を受けて変容していっているからです。

「はじめに」のところでも少しだけ書きましたが、私は今、脳神経科学と呼ばれる学問の分野で微力ながら研究を重ねています。もともとの専門は違うのですが、この約30年はずっと、脳という難題を相手に仕事をしています。みなさんが意識しないところで、脳が何を、どのように処理し、感じ取っているのか？　そしてそれを実生活にどうやって応用することができるのか？　どのように応用すれば、社会が今よりも豊かになり、人々が幸せになっていくのか？　私はそんなことを、毎日のように考えています。そしてこれからも、日々そうしたことを考え続けていきま

※ de-：〜外へ、signare：印をつける。二語を合成して、印をつけて描き出すという意味になる。

す。

後で詳しく説明しますが、心と脳とは当然強く関わっていますし、その実態も少しずつ明らかになってきました。人類がこれまで行ってきた研究結果を通じて、脳についてたくさんのことが分かってきましたが、未知の領域がたくさん残されています。もっと正直にいえば、まだまだ分からないことのほうが圧倒的に多いのが、脳神経科学の直面している現在の実情です。それでも、その躍進には目覚ましいものがあります。そして、理解されてきた知識を社会に還元していく試みの一つが、本書のテーマである「心にひびくデザイン」です。

かつては見えなかった「心」を可視化し、そしてそれが日常生活の中でどのように働き、あるいは働かせるべきか、今日の研究成果によってだんだんと理解されるようになってきました。そしてそれらは、数値や論理で構成された知識として蓄積され、私たちの生活する社会や世界を設計するための基盤となりつつあります。

見えてきた、そして、理解されてきた「心」の仕組みをうまく使うことで、社会は確実に変わってきていますし、これからももっと変えていくことができると思います。それはとても素敵なことだと、私自身は理解しています。科学や技術の進歩、そしてそれらを活用して人を理解すること、そしてその本質である心を理解することこそが、次世代の社会のあり方をさらに豊かなものに変えていく。特に、人の心を理解して、心を中心とした社会や環境を構築していくことは、まさに脳神経科学の究極のゴールと考えています。もちろん、科学万能主義が絶対的に正しいとは思いません。使い方を誤ると多くの不幸を生み出す場合もあります。

私自身が大学などで講義をさせていただいた時に、心が見えるようになるのは怖いという意見を時々聞くことがあります。しかし、私は逆で、見えないほうが怖いと思っています。脳や心のしくみを明らかにして理解する科学と社会とが正しくつながりひびきあうことで、世の中はより良い方向へと導かれます。同じように、心と私たちを取り巻く環境が正しくつながり、両者がひびきあうことが、人をより良い方向へと導くのです。

そんな、心にひびくデザインをテーマとして、これまでの私自身の研究結果を実例にし、みなさんにとってできるだけ分かりやすい形でお伝えできればと考えています。そして、そのようなデザインをたくさん生み出していくことが、脳神経科学という分野に与えられた重要な使命であり、また、私自身に与えられた課題であると自覚しています。

2. 脳と心の関係について

「メンタルモデル」を理解する

エレベーター以外にも、デザインが原因で失敗を誘発する製品は少なくありません。すべてボタンが同じ形のテレビのリモコンなども、そのひとつに挙げられます。そのようなデザインは、使う側の効率や利便性ではなく、作る側の予算や思い込みなどを中心に設計されていることがほとんどです。多くの間違いを誘発する原因は、ユーザー側の事情を考慮しない、あるいは、ユーザーの理解の仕方が未熟であることにあるといっても決していい過ぎではありません。

例えば、ユーザーのニーズを理解する方法としては、アンケートや質問紙が一般的に用いられますが、これがあまりあてになりません。先ほどのエレベーターのボタンのデザインでも、どのボタンデザインを使いたいかを質問すると、いつも見ているデザイン①が良いと答えた人が一番多かったのです。言葉を用いた意思表示には、心理的なバイアスがかかっているため、正解を見出すことがなかなか難しいと考えられています。

人間を対象とした最先端の科学の世界でも同様のことがありました。１９６７年の Science 誌に報告されたもので、人間が何歳くらいで数や量の概念を持つのかを対象とした研究です。次の章で詳しく紹介しますが、この研究は言葉で自分の考えや好みなどを正確に表現することは難しいということを指摘しています。エレベーターの例にしても、子どもの数の概念の研究にしても、人の気持ちの上に立脚した産業を創り出していく上での、方法論の変革の必要性を示唆しています。これまで様々な産業分野の方々と仕事をしたことがありますが、その方々も、アンケートでマーケティングしてもなかなかうまくいかないと悩んでおられました。

それでは、どのようにしたら良いのでしょうか。結論から申し上げると、私は、「メンタルモデル」を明らかにしていくことが大切だと考えています。「メンタルモデル」は、脳が生み出しています。したがって、人の心に触れるあらゆる環境製品やソリューションについては、「メンタルモデル」に対する作用と効果のアセスメント（評価）を行うことが必要であると考えています。

メンタルモデルを理解するための方法を簡略化していうと、脳の好き嫌いを調べる、あるいは、脳の好き嫌いをうまく使って、脳の特性を調べるということです。脳には人それぞれ、あるいは、万人に共通な好き嫌いがあります。そして、その好き嫌いに基づいて、みなさんがふだんは意識しないところで、その好き嫌いを自動的に判断して、そしてその結果を踏まえて行うべき行動を決定するような脳内処理が行われます。そんな好き嫌いのことを、「脳が受け入れやすい、受け入れづらい」とか「脳が理解しやすい、誤解しやすい」などといいかえると分かりやすいかもしれません。

先ほどお示しした、いつも使っているエレベーターのボタンデザイン①は、結果的に脳が受け入れづらい、誤解しやすいデザインだったということになります。また、数の概念の先行研究は、実験のデザインそのものが、脳が受け入れづらいものであったので、正しい結論に至らなかったと考えれば良いでしょう。

さて、「脳が受け入れやすい」を「メンタルモデル」という言葉で説明していきましょう。脳が外界で起こる出来事について受容し処理して反応するプロセスのことを「メンタルモデル」と呼びます。そして、「脳が受け入れやすい」というのは、「メンタルモデルに合致している」と考えてください。

メンタルモデルの概念を理解するには、本書の表紙の絵のように、ジグソーパズルのピースを思い浮かべていただくと良いでしょう。自分を取り囲む環境や人間関係、そんな外界から訪れるさまざまな刺激が、脳に内蔵されたメンタルモデル・ピースの型とうまくはまれば、脳はその刺激を抵抗なく受け入れます。それが、「メンタルモデルに合致している」状態です。そして、自然と脳を構成するメンタルモデル・ピースに信号が効率的に伝わり、必要な行動をとることができます。うまくいくと、脳の中のつながりも変わり、その外界からの刺激に対してより効率的に脳が働くようになります。

米国版のWikipediaによると、２０１８年9月4日現在、「メンタルモデル」は、「実世界で何事かを実行するための人の思考プロセス」と定義していますが、本書の方が少し広い意味で「メンタルモデル」という言葉を使っています。本書では、脳に入ってきた信号を受け止めて淀みなく思考や行動できるようにする、脳内処理の型のことを「メンタルモデル」と呼んでいます。

後段でお伝えしていく話は、いわばこの「メンタルモデル」の「型へのはまり具合」をどうしていくのかということに関わっています。「心にひびくデザイン」とは、人々のメンタルモデルの型にはまるデザインのことです。要するに、メンタルモデルの型にはまるように、外界の刺激を設計することで、人の行動や学習に変化を与えることができるということです。

もう一度、最初のエレベーターのボタンの話に戻りましょう。私たちが作成したデザイン⑤が提示された場合には、より淀みなく脳が働くようになっていましたね。これが、人の「メンタルモデル」に合致した「心にひびくデザイン」の一例です。他方、多くの押し間違いを誘発し、時にだれかの肩に扉をぶつけてしまうようなデザインは、このメンタルモデルにそぐわない＝型にはまらないデザインなのです。また、メンタルモデルの型にはまらないデザインは、もともと圧倒的に時間がかかるにもかかわらず、学習効果もないというところは興味深い点です。教育の在り方などにもこの考えは応用できると思います。

現在のエレベーターの開閉ボタンの標識は、利用者の立場に立った識別しやすく・操作しやすい標識を標準化する趣旨で、日本エレベーター協会標準（ＪＥＡＳ－５２３）として決められています。しかし、私たちの研究結果からは、必ずしも現時点のデザインが良いという結果にはなりませんでした。標識やサインなどに対して、人がどのように受け入れるかを実験するという考え方は従来なかったわけですから、致し方のないことだと思います。本書をきっかけに、人の行動を左右するような標準デザインに関しては、主観で決めるのではなく、定量的に客観評価して決定するようなプロセスが当たり前のように導入されるようになれば、大変嬉しく思います。

機能を追求すると美しいものができます。完成された機能美、たとえば発電所のタービンの羽根などは、あれだけ大きなものにもかかわらずミクロンオーダーの加工によって作製されますが、そこには明らかに機能美が存在します。エレベーターのボタンデザインも機能を追求すれば、美しさが宿ると思います。私たちが使用するものは、外見の美しさから入るのではなく、まず機能を追求するべきでしょう。そして、その機能は今回の実例のように、心との相互作用で発現するものであるということは忘れてはいけないポイントです。だれかが机上で考えただけのものには必ず落とし穴があります。人の脳はそんなに単純なものではないからです。そして、もっと深く研究を進めると、美しさすらも生物学的に捉えられる可能性を脳神経科学は秘めています。

本書における脳と心の関係性

脳と心、両者の関係についての記述をここまでなおざりにしてきましたので、ここでそのためのスペースを少しだけ頂戴します。もちろん、心と脳の問題は答えの出ない命題として扱われてきましたので、本書においての定義を示し、みなさんのご理解にとって多少なりとも参考になることをお伝えできればと考えています。

脳と心、あるいは、身体と心、物質と精神の関係について、哲学における分野では、唯物論、唯心論、二元論、物（身）心一元論などの説があります。ある意味答えが出せない問いではありますが、本書では、あまり難しいことは考えず、心は脳によって生成されるという、物（身）心一元論に近い立場で説明します。

端的にいえば、だれかが赤い色を見て赤いと感じたら、脳内に化学反応が起こり、その赤いという印象に対応した脳の状態があるということです。近年の脳神経科学の発展からも、多くの方が、脳が心の生成装置であることには同意していると思います。

心が物質から生成されるという考えが受け入れられない一つの理由は、物質はすべてのことが何かの原因によってあらかじめ決められているという決定論に支配されているというところにあります。決定論に従うのであれば、脳は自動機械であるので、そもそも自由意志は存在しないという指摘があります。そうなると、刑法などは自由意志を基盤として取り決められているので、社会的秩序をつくる法の根源が揺らぐと考えることもできます。実は、いまだ根本的なところで、すなわち脳は自由意志を持つのかということであってさえ、生物学的には解明されていません。果たして、脳は脳を理解できるようになるのか。今後の重要な研究課題でしょう[3]。

嬉しい、悲しい、痛い、快い、まぶしい、白い、青い。

そうした心の状態と一対一で対応する脳の状態というものが存在します。

仮にそうした考え方をもう少し先まで推し進めていくと、その脳の状態が特定できれば、原理的には心というものを再現することができる、ということがいえます。「赤い」に対応する脳の状態を人為的に引き起こすことで、その人の心に赤いという印象を生じさせるのです。

脳の化学反応は、電場または磁場で駆動できるので、ある心的状態に対応する脳の状態を電磁気的刺激で作ることができれば、見ていなくても「赤い」という印象を脳に持たせることは可能です。実際に、ＴＭＳ（Transcranial Magnetic Stimulation：経頭蓋磁気刺激法）の装置で運動を司る領域に焦点を絞り磁気刺激を加えることで、指を動かすことができます。機械が人間を支配している未来を描いた「マトリックス」という映画の中では、人の脳内に電極を差し込み、電気的に脳内に化学反応を起こしてイメージを想起させ、その仮想的な世界で人々を生きながらえさせる描写がありました。空想のようでもありますが、原理的には可能であるということです。

また、仮にロボットに「心」を持たせるとしたら、脳の任意の状態をロボットの計算機の中に作ることで、「心の作成」が可能となると考えている研究者もいます。脳の計算論を作り上げようとしている研究者たちは、最終的に脳の働きを数式化しようとしているので、いずれ実現する可能性もあります。ただ、「心」みたいなものはできるかもしれませんが、心の根底にある意識の問題はそう簡単には解けそうにありません。

心を人為的に作るようなことについての良し悪しは大事な話題ではありますが、ここでは主題からそれるので特には論じません。ただ、最近の遺伝子工学の発展を見ると、遺伝子をまるでブロックを組み立てるがごとく扱っているので、心のブロックを組み立てていくようなことも将来起きてくるでしょう。様々な、「メンタルモデル」ブロックが機械的に製造され、それらをまさにジグソーパズルのように組み立てていくと、様々なパーソナリティを持つ知能ができるようになると思います。もちろん、社会的な合意形成がなされた上での話ですが。

さて、本書では、心は脳の一定の状態であるとしたわけですが、その状態がどのようにして生成されるか、のほうが大事です。そこで、脳の中で心が生成されるプロセスの概略を、図４に示しましたので、この図を使って説明します。

まず、環境（体内環境も含む）からの光や音・化学物質・温度などの刺激（入力信号）を感覚器（目・耳・鼻・舌・皮膚など）で受け取ったり、積極的に取りに行ったりします。例えば、固視微動といわれる不随意（自分では意識的に制御できない）の目の振動が常に起きていますが、この振動がなくなると見ることができなくなるといわれています。網膜上の神経細胞は、光の強度を定量的に計測しているわけではなく、時間的あるいは空間的な変化しか計測できないからです。この固視微動を使った錯覚を、脳神経科学的に観測した研究も実施されています[4]。また、人は変化しない全く同じ色しか見られない状態になると、見ている色が何色か分からなくなる「等質視野」と呼ばれる現象が起こります。このことからも、脳および神経系は、私たちを取り巻く

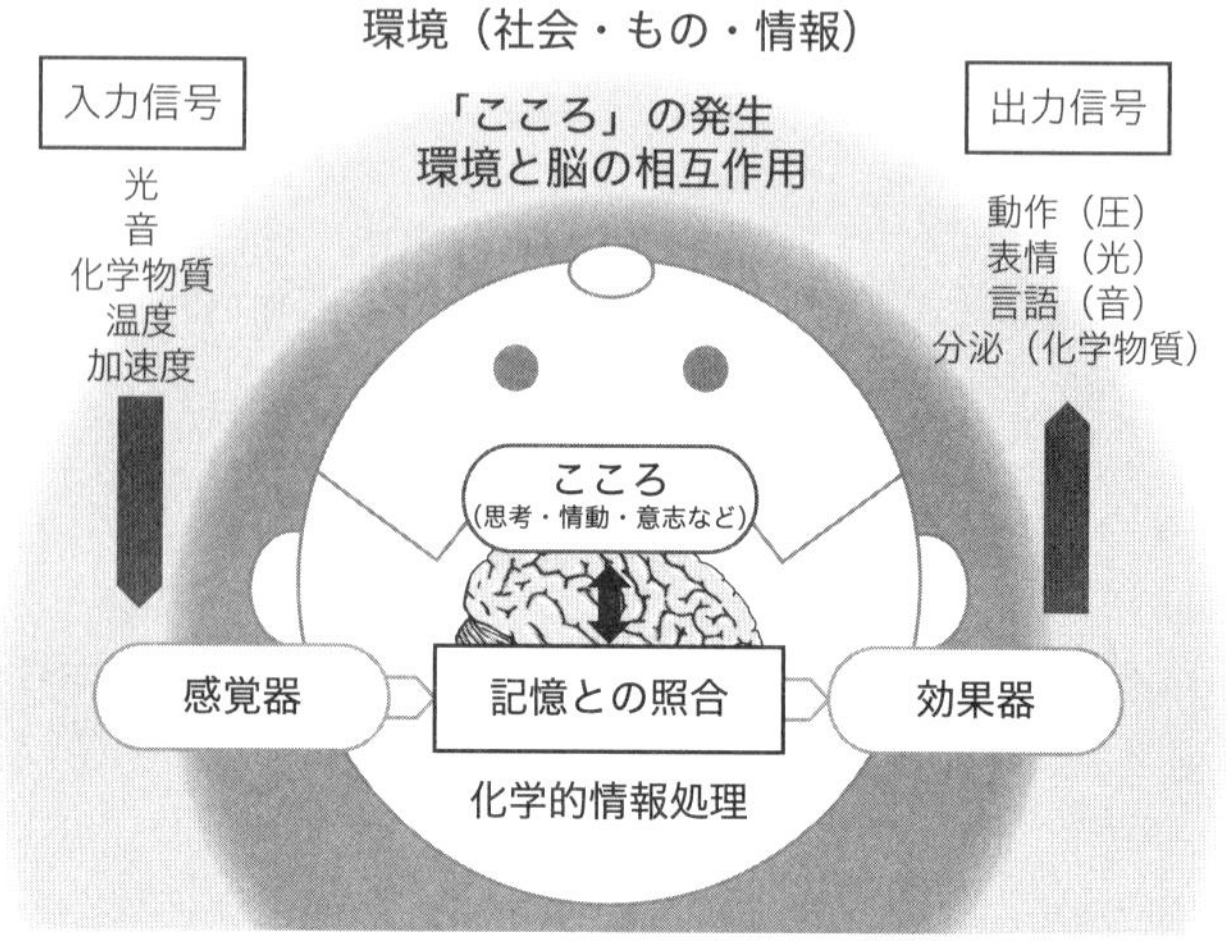

図4　心が生成されるプロセス

環境の絶対量を感知しているのではなく、時間的・空間的に変化した情報（数学的には微分値）しか処理していないことが分かります。匂いなどを、一定時間嗅ぐと気にならなくなるのと同じですね。

そうやって取り入れた入力信号は、脳に送られ記憶や経験知と照合されます。その結果、脳は内部・外部の状況を認知しますが、そこで本人が自覚するかどうかによらず、ある種の感情や印象などが生成され、自分の行動や生理的な反応を決定して、出力信号を生成します。その出力信号に基づいて、筋肉や腺を通じて、自分自身や環境へ働きかけます。処理の結果は、思考・情動・意志／運動・言語・睡眠などの形で表れることになります。

したがって、大まかにいうと環境と身体の相互作用を脳で計算して心が生成されることになります。そして、生きている限り、このループは継続的に続くので、常に心が生成されていることになります。また、脳内のこの一連のプロセスは、化学的な反応で起きていることが知られていますので、心は「化学的情報処理」から生成されるといっても過言ではないでしょう。

少し話がそれましたが、それでは、心は脳だけで生成されるのかという問いが出てきます。人間の脳を模倣した計算機ができると心を生み出すのでしょうか。人間でいえば、例えば、脳だけを取り出して、外からも自分自身の身体からも刺激を与えなくても思考できるか、という問題です。

これはあくまで仮説ですが、多分、脳の活動は停止する、あるいは、きわめて異常な活動をするのではないかと思います。歯医者などで、局所的に麻酔をかけると、その部分は無くなったように感じることは経験があるかと思います。同じように、体全体の感覚が失われると体全体の存在がなくなるので、ひょっとすると意識が消滅する、あるいは、寝てしまうかもしれません。

その意見に反対の研究者たちが、アイソレーションタンクという機械を用いて、外界からの感覚遮断を行った実験を行っていました。その場合、幻覚を見ることが報告されています。有名なノーベル賞物理学者であるファインマンも、「自我が身体からずれ、やがて遊離したように感じた」と記述しているように、そのアイソレーションタンクに通いつめ様々な幻覚体験をしています。幻覚に対しても物理学者らしく、幻覚は脳が作っているのだから、アイソレーションタンクに入らなくても幻覚を見ることができるはずだと考え、自宅で実践したそうです。しかし、幻覚は見ることができなかったと記述しています[5]。

実際には内臓の感覚や皮膚の温覚や触覚などを完全に絶ち、脳への入力信号を0にすることは不可能ですので、残念ながらアイソレーションタンクでも、感覚を完全遮断した時の真実を明らかにすることはできていません。いずれにしても、体の感覚が失われていくと脳は正常には活動しないようです。

仮に体の感覚がないと意識が生成されず心そのものがなくなるのだとすると、脳が心を生成するというだけでは言葉が足りません。したがって筆者は、心は身体と環境刺激との相互作用によって発生した信号を、脳が処理して生成されたものといったほうがより正確であると考えています。なぜなら、脳と身体、そして、環境刺激のどれかが無くなると、心は生成されないからです。先ほど紹介した、メンタルモデルという言葉を使っていいかえると、心は環境（体内環境も含む）からの刺激を身体で受けて、脳内に準備されたメンタルモデルとのマッチングによって生成されるということになります。

さて、ここでエレベーターのボタンデザインの実験の種明かしをします。

エレベーターのボタンデザインになぜ顔の図案を採用したのか。それは、人間は出生後45時間以内で母親の顔を学習する[6]、あるいは、マカク猿の研究では側頭葉の単一細胞で顔を認知する[7]といった知見があったからです。

人間にとって顔は特別であるので、「顔をデフォルメした図柄に対しても特別な反応を示すであろう」という仮説を立て、図案と実験のやり方を考えたわけです。すなわち、顔に対するメンタルモデルが脳内に存在しているということは分かっていたので、顔を取り入れた図案のデザインなら良いかもしれない、という仮説が作れたのです。

この事例は非常に単純な事例ですが、私たちの行動は脳内に存在するメンタルモデルでその行動が決定されるということが分かっていただけたと思います。しかも、脳内のメンタルモデルを使った図案が、反応時間を徐々に速くするといった学習効果まであることは興味深いことです。

メンタルモデルはどのようにして作られるのか

入力された信号が脳で変換され、自分自身が環境に対して正しく働きかける信号を選択して出力されるプロセスには、物・情報・社会といった、身体の外側にある「環境」が重要な決定要因になります。

ここで、全く別の視点から興味深い研究をご紹介します。2018年に発表された、アメリカのソーク研究所※のネズミを使った研究成果です。この研究では、親に無視されたネズミの子どもの海馬という脳領域で、DNAが変化したと結論付けています。社会的な要因がDNAまで変異させるというのは、大変な驚きです[8]。

※ソーク研究所はアメリカにある最先端の生物医学研究所。私立であり、小規模ながら、論文の引用度は1、2を争うほど質が高い。「最後の巨匠」といわれる、建築家ルイス・カーンが設計した美しい建物でも知られる。

また、日本の理化学研究所の研究グループは、社会的に隔離されたネズミは、重要な神経伝達物質であるセロトニン５ｂ受容体のヘテロクロマチン（ＤＮＡの転写を抑制している状態）が破壊または弛緩されていること、そして、そのセロトニン５ｂ受容体の転写が誘導されることによって、そのマウスがうつ病と類似の行動をとることを報告しています[9]。実は、ここまでであれば、社会から隔離したネズミはうつ病っぽくなり、その原因である遺伝子の機能の一つが明らかになったというだけの話です。

しかし、この研究グループは、ショウジョウバエで別の研究を報告しています。ショウジョウバエの目の色を赤くする遺伝子は、眼の赤色色素を合成する white 遺伝子が転写されていることが知られています。赤なのに white というのは少々ややこしいですね。実は、目の色が白いショウジョウバエは、この white 遺伝子が先ほどのヘテロクロマチンによって転写が抑制されています。そのため、目が赤くならないのです。しかし、この目の白いショウジョウバエに発生の段階で熱的ショックを与えると、このヘテロクロマチンが破壊または弛緩され、white 遺伝子の転写が活発化し目の色が赤くなります。さらに、そのショウジョウバエの子どもにもその状態が遺伝することが明らかになったのです。すなわち、ヘテロクロマチンの破壊あるいは弛緩が、ＤＮＡ配列の変化を伴わずに遺伝するメカニズムの一つであるということが分かってきたのです[10]。

先ほどのネズミでもヘテロクロマチンが破壊または弛緩されているので、この研究はひょっとすると社会的に隔離されたネズミの精神状態も、ＤＮＡの変異を伴わなくても遺伝するかもしれないということをほのめかしています。今後、社会的な影響が遺伝する、という生物学的な証拠が出てくるかもしれません。

いずれにしても、ネズミや昆虫の実験結果なので、必ずしも人間にも当てはまるとはいいがたいですが、遺伝するかどうかは横においておいても、乳児期の対人関係や胎児期の強いストレスが、脳に根本的な変異を与えている可能性を指摘しています。ただ、こういった生物学的証拠が蓄積されてくると、子育てをより良いものにデザインすることの重要性があらわになってきます。ビスマルクの言葉で、「愚者は経験に学び、賢者は歴史に学ぶ」という言葉がありますが、これからは「生物学的エビデンスに学ぶ」が正しくなってくるでしょう。なぜなら、様々な生体計測技術や方法論が発展して、確かなエビデンスとして観測できるようになってきたからです。

ごく初期からの環境が脳の根本を作っていることを考えると、メンタルモデルもごく初期に作られはじめることになります。したがって、胎児の時から脳をどのように育むのかはとても大事な概念です。また単一世代だけの問題ではなく、今の生活や社会環境が遺伝にも影響を与えているとなると、ひょっとすると未来の国民の質、人類の質を決定している可能性を指摘しているように思えてなりません。メンタルモデルの形成が、個人の経験によるものだけでなく、多世代間の経験の継承も影響してくるとなると、個人を取り巻くあらゆる環境の質をどうするべきかは、重要な基本的課題であると考えられます。

私の先生であり上司であった、小泉英明氏は、脳神経科学の社会貢献の方向性として〝脳科学と教育〟という新しい概念を提唱し、いかに脳を育むべきかを科学的な根拠に基づいて体系化することを提唱し、世界に発信してこられました。[11][12] それまでの脳神経科学は、脳の働きを理解することが目的であったのですが、学習する器官である脳の原点に戻り、学習の最適化を脳神経科学の貢献領域として設定したのです。こういう高い視点は１９９０年代に始まり、国内外で研究の大きな潮流となっています。私もそういった概念に多少なりとも影響を受けている一人で、その重要性に共感し、微力ながら具体的に脳神経科学の知見を社会に役立てていく方策を考え実際に行ってきました。

3. メンタルモデルを可視化する技術──脳機能計測技術

心の可視化は可能か?

心にひびくデザインが生物学的なメカニズムに基づくという、そのアウトラインは伝わったように思います。本節では、メンタルモデルの生物学的なエビデンスを獲得するために、脳機能計測技術の進歩は重要な一角を占めているということを紹介します。特に、昆虫や動物に備わっていない人特有の心の働きを理解するためには、安全で人の体に傷をつけない脳機能計測技術がなくては始まりません。

人間特有の心の機能として、言語を最初に思い浮かべる方は多いかと思います。そして、その言語の機能が、右利きの人の場合、たいてい左半球の脳で生み出されていることをご存じの方も多いでしょう。これも一つのメンタルモデルです。しかし、言語を左半球が担っているというのはどうやって分かったのでしょうか。

この疑問に明確に答えたのが、19世紀の外科医であるピエール・ポール・ブローカでした。彼は、脳機能を理解する方法論として、死後の解剖によって脳の損傷部位を確認し、生前の症状とを比べました。言葉を発することに障害のある失語症を発症した方の死後、その脳を解剖して観察し、左半球前頭葉の特定部位に損傷が共通してあることを発見したのです。その場所はブローカ野と名付けられ、また、話すことがうまくできずぎこちない話し方になる運動性の言語障害はブローカ失語と呼ばれ、彼の名前が冠されることになったのです。

また、ブローカの行った研究は言語機能の局在だけでなく、当時論争されていた、脳の特定の部位が特定の機能を担うという、脳機能局在論の正当性を確定したと考えられています。その後、ドイツの外科医であるカール・ウェルニッケは、聞いたことの理解に障害が起こる、知覚性、あるいは、感覚性失語と呼ばれる失語症の原因領域は頭頂葉と側頭葉にまたがる領域にあると発見しました。また、大変不幸なことですが、第一次世界大戦では、銃創によって損傷した脳を調べることで、脳機能の局在性に関する多くの知見が蓄えられ、この分野が進んだといわれています。

1930年代に入ると、一つの方法論の転換が起きました。カナダの脳外科医であるワイルダー・ペンフィールドが、局所麻酔下で意識のある状態での脳外科手術中に、電極で脳の部位に刺激を与えて、その部位がどのような機能を持つのかを調べました。[13]

このような研究に基づいて、脳外科の手術が緻密になりました。電極である脳の場所を刺激して話ができなくなった場合には、その部位は発話にかかわる部位であると分かるので、できるだけ温存するためです。現在も脳外科手術中には行われている技術で、私も見学させてもらったことがあります。脳は痛みを感じることがないので、こういったことが可能なのですが、なかなかすごい光景でした。最終的に、ペンフィールドは、体中の運動と感覚を処理している、一次運動野と一次体性感覚野と呼ばれる部位と体の部位を対応付けた地図の作成に成功しました。これは、脳の中のホムンクルス（小人間像）と呼ばれていて、脳神経科学において歴史的な業績です。ただし、こういった新しい方法は、それ以前に動物を使った研究で開発されてきていて、一人の天才が突然考え付いたものではありません。過去の基礎的な研究の蓄積の上に立脚した、研究成果であることは付け加えておきます。

しかし、これらの研究は、死後あるいは開頭手術中に実施するなど、かなり特殊な状況でない

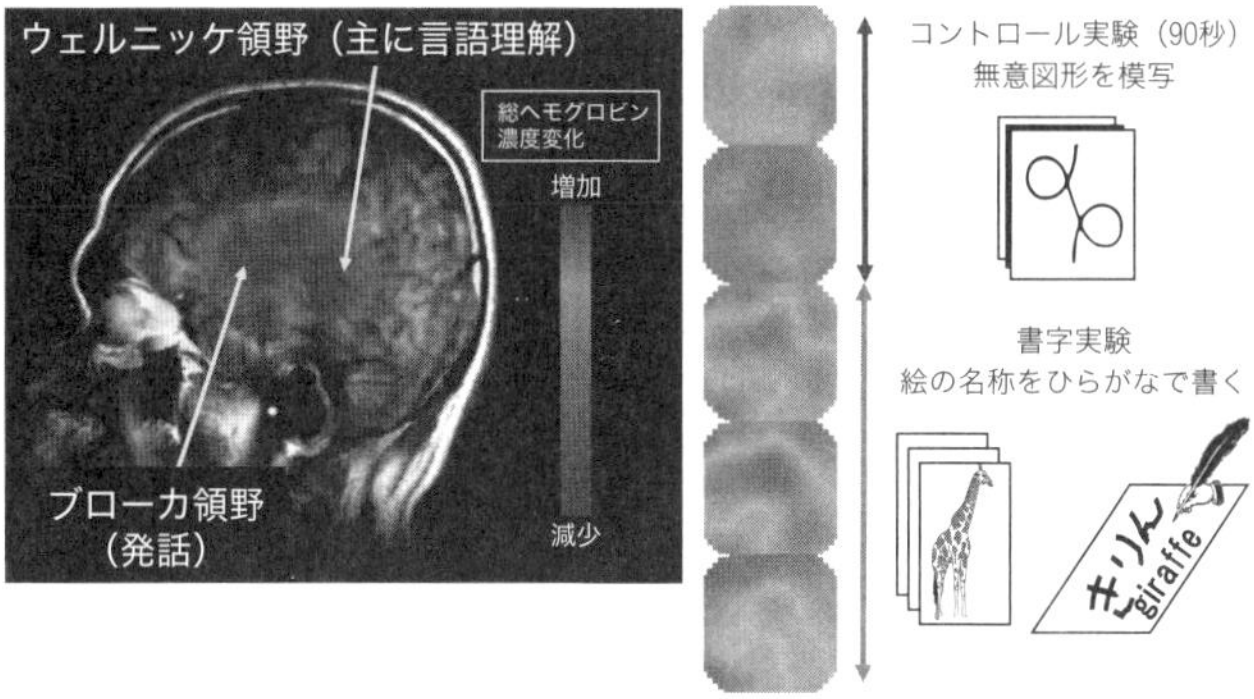

元東京女子医科大学 岩田誠氏（医師）との共同研究　　参考資料〔12〕

図5　書字をしながら物の名称を考えている時の脳の活動
（口絵カラー参照）

とできません。また、障がいのある脳を対象とする研究なので、健常な脳をこの研究の結果から語ることには矛盾があります。想像していただいても分かるように、研究の対象がそんなに多くあるわけではありません。そのため、人の脳の働きを理解する速度は決して速いものではありませんでした。

　ここで、図5に示した内容について簡単に説明します。これは、ブローカやウェルニッケが発見した言語にかかわる部位の脳活動を、私たちが開発した「光トポグラフィ」という技術を用いて可視化した測定結果です。ここでは、研究参加者の方が書字をしながら物の名称を考えている時の脳機能を可視化することを目的としました。

　脳機能の計測の際には、比較実験という手法を一般的に使います。目的に応じて、最低2種類の課題を用意して、その結果を比較することで答えを見出すというものです。なぜこのようなことが必要かというと、人が何かを実行するという時には様々な機能をほぼ同時に使っているからです。例えば、図5で示した研究では、「物の名称を考えている時の脳機能」を観察したいということであれば、絵を見せて名前を思い出している時の脳活動を測ればいいじゃないか、と思われるかもしれません。しかし、名前を思い出してくださいといわれても、本当に思い出してくれているのかは分かりません。そこで、ちゃんと頭の中でそれをやっている証拠をとらなければなりません。そこで、この研究では、絵を見てその名称をひらがなで書くという方法を使いました。

ところが、文字を書く時に、人は「物の名称を考えている時の脳機能」だけを使っているわけではありません。そこで第一の実験としては、「絵を見て（A）」、「物の名称を考えながら（B）」、「ペン先の運動を制御してその文字を書く（C）」という一連の機能を使わせます。ここでは、Bの時の脳機能を観察したいわけですから、AとCが邪魔です。

そこで、比較するための第二の実験として、意味の無い図形の絵を見せて、「絵を見て（A）」、「ペン先の運動を制御してその図形を書く（C）」という対照となる実験を用意しました。式で書くと、Ｂの脳機能＝第一の実験の脳機能（Ａ＋Ｂ＋Ｃ）－第二の実験の脳機能（Ａ＋Ｃ）となります。

こういった人の特定の機能を理解するための手法は、心理学の研究で発展してきたもので、実験デザインと呼ばれます。そして、研究の美しさは、この実験デザインで決定されるといっても過言ではありません。特に、歴史に残っている研究は、実験デザインの秀逸さが際立っています。そして、脳神経科学における実験デザインは、心理学・生理学・脳神経科学を理解し、さらに計測技術の特性も理解していないとできません。したがって、一人の力ではなかなかできず、異分野の研究者が額を寄せ合って取り組んでいるのです。ただ、筆者らが開発してきた、この「光トポグラフィ」という計測技術は、ほぼ日常的に近い状態で脳の活動を可視化できるということが特長です。逆説的にいうと、人に害や傷を与えず日常の脳の活動を計測できるようになり、簡単に心の働きを目に見える形で表現できるようになったことで、様々な分野の融合を生みだしていることも事実です。

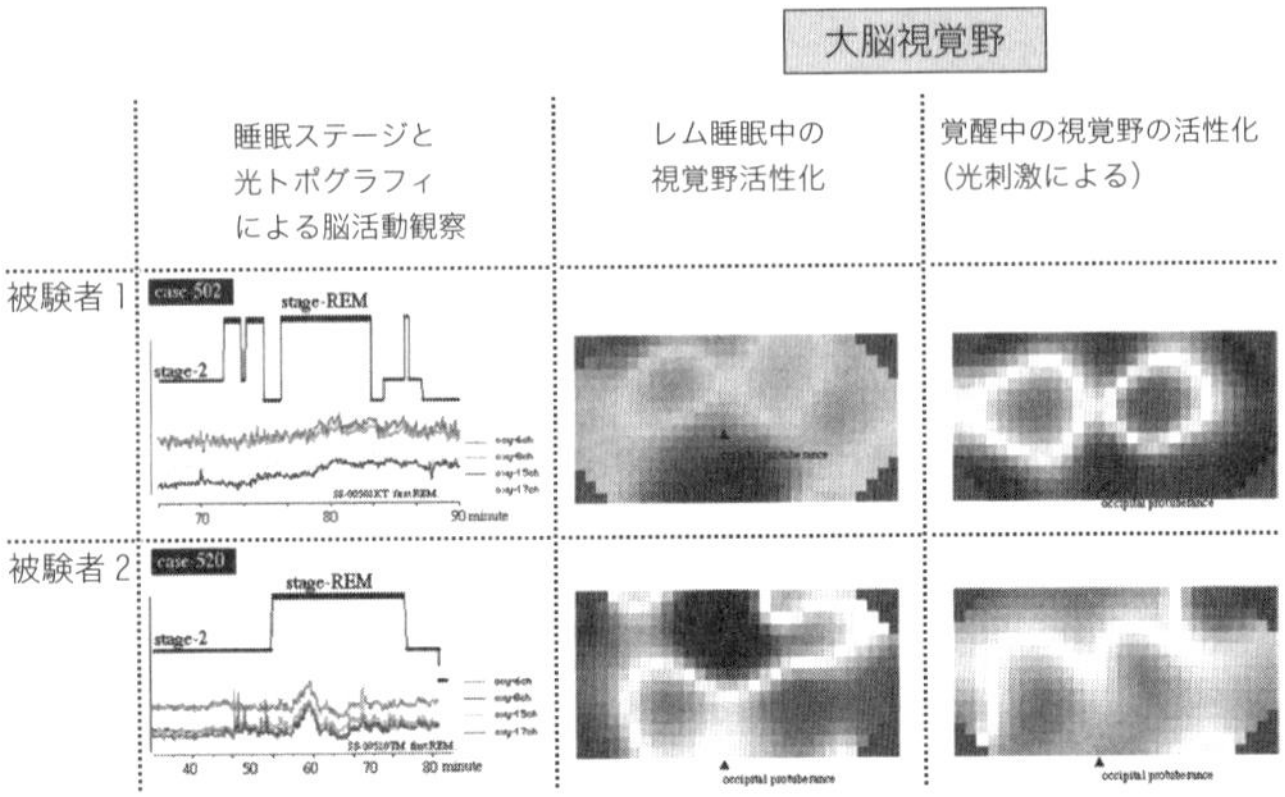

国立特別支援教育総合研究所　渥美義賢氏（医師）との共同研究　　参考資料〔12〕

図6　睡眠中の大脳視覚野の活動（口絵カラー参照）

心の可視化はどこまでいくのか

ところで、２００２年に発表された「マイノリティ・リポート」という映画を見ていて驚いたことがあります。この映画では、２０５４年の世界を描いていて、預言者の脳に「光トモグラフィ」という装置を装着して、これから起こる犯罪を預言者の脳内の映像から画像化して表示するというシーンがあります。「トモグラフィ」というのは、断層映像法または断層影像法という意味です。驚いた一つの理由は、１９９０年代に時期尚早ということで、筆者らが開発を取りやめた技術だったからです。もちろん預言者に関しては、流石に思いも寄らなかった話ですが。

そして当時、開発の方向性を変え、断層像ではなく脳の表面に沿って２次元的に脳の活動を計測する「光トポグラフィ」の開発を開始しました。技術をもう少し深く知りたい方は、本章の最後に付記した技術談議を参照ください。「マイノリティ・リポート」で登場した「光トモグラフィ」が、「光トポグラフィ」が作られた約60年後にできているのかはとても楽しみです。最終章に書きましたが、ちょうどその頃、計算機が人の脳の情報処理効率に追いつきそうなので、光を用いた３次元的な脳機能計測技術の可能性はあるように思います。ただし、成人の場合には、光の透過性から成人頭部の切断面断層像ではなく、脳表に沿った３次画像になるでしょう。

ここで、光トポグラフィを使ってどのような脳の機能が可視化できるのかを、「マイノリティ・リポート」につながるような研究事例を取り上げて紹介します。図６は、光トポグラフィで計測した、後頭部にある視覚野の脳血流（実際には血液中に含まれる酸素化ヘモグロビンの指標）のパターンを示しています。左の画像は、「レム睡眠中のパターン」、右の画像は「覚醒している時に光刺激を見た時のパターン」を示しています。一人目と二人目の結果の画像を上と下に示しました。

二人とも、光の刺激に対してそれぞれ後頭部に特徴的なパターンが観測されています。そして、レム睡眠中のパターンと、起きている時の視覚のパターンを比べると、被験者毎にそれぞれとて

※レムとは英語のＲＥＭでRapid Eye Movementの訳。眼球が素早く動く睡眠中の状態で、脳波計測で特定することができる。

もよく似ていることがわかります。ここで、なぜわざわざ脳波まで計測してレム睡眠状態を判定したのかというと、レム睡眠中に夢を見ているということが知られているからです。そのため、この結果から脳内で映像を作っている視覚野というところが、レム睡眠中に活動している可能性を示していて、実験の結果は一目瞭然です。[14]

もしも、ある映像が浮かんでいる脳の状態を、「マイノリティ・リポート」のように何らかの方法によって再現することができるとしたらどうでしょうか？　２０００年の頃、そうした可能性はあると私たちは考えていました。ところが２００８年になると、「技術談議」の節で紹介しているfMRIを使った研究で、その人が見ている映像を脳の信号から再構成することに成功しています。視覚の情報処理過程は、他の機能と異なり、かなり明らかになってきていることもありますが、思考を脳機能計測技術で再構成する時代が近くまで来ています。[15]

ただ、とても夢のある話ですが、思考まで読み解くことができるようになると何が起きるのかは深く考える必要がありそうですね。

技術の話が少し長くなりましたが、技術は手段であって目的ではないということは申し上げたいと思います。私たちが最終的にめざすべきことは、すごい脳機能計測技術を作ることではありません。確かに、私自身そういった新しい技術を着想して、仲間たちと作ってきました。しかし、私たちはこういった道具や技術を用いて、より良い社会を作ることを目的にしています。すなわち、人の心にとってより良い環境を生み出す手段として、計測・評価が可能な技術や方法論を活用したいということです。なぜなら、それらがあって初めて、人そして心にとってより良い環境の設計が可能になるからです。

心とは、身体と環境とが相互作用することによって、脳が生み出すものだとお伝えしました。したがって、より良い環境があって初めてより良い心が生み出されるわけですから、最終的には、心にとってより良い環境をどう作るべきかが重要な命題となります。これまでは物差しや秤で事足りていたものが、心まで踏み込んで環境を設計するとなると、人の心まで測れる計測器が必要になります。手段も目的もとても難しい課題なのですが、人類が自分たちの生活環境を制御するようになった今、心を中心とした環境設計はとても重要な課題になってしまったと言っても過言ではないでしょう。これまでよりも、人のことを考えた環境デザインを、生物学的なエビデンスに基づいてデザインできる時代が来たのです。

脳と遺伝子と環境

脳とは、刻々と変化する環境の中で、生物個体が生存を懸けた営みを実行するために特殊化した器官です。何を言っているか分かりにくいかもしれませんが、要するに刻々と変化する環境に対して、どう対応するべきかを学び、そして、自分の行動を決定しているのが脳であるということです。したがって、生活している環境の中で、脳はさまざまな刺激をミリ秒の単位で受け取り処理していきます。

良いことも悪いことも、生きていくためには受け止めなければなりません。そのことを、「環境の受容」という言葉で表現します。私たちは、脳が環境を受容することによって、さまざまなことを学習します。ジグソーパズルを例として考えると分かりやすいでしょう。ジグソーパズルの場合には、ぴたっと型にはまらないと絵は完成しません。しかし、脳の場合には、そこそこ型があっていて心地よいと感じる環境刺激のピースが来ると、脳のほうがそのピースに型を合わせることもできます。そして、その環境刺激を繰り返し受け、何かを実行すればするほどその型がよくはまっていくようになります。専門的には、神経可塑性と呼ばれ、神経の成長と神経回路が構築される生物学的な現象です。

つまり、脳内で「環境の受容」が起こり、より良く生きるために学習して神経回路が作られ、後天的な新しいメンタルモデルができていくのです。生得的なメンタルモデルももちろんあるでしょうから、後天的なものときれいに切り分けるのは難しいかもしれません。いずれにしても、「環境適応」の機能が脳に備わっているからこそ、私たちは厳しい環境の中でも何とか生存していくことができるのです。

私たちは、新たな刺激を受け取った際には、すでに学習し獲得したこと＝メンタルモデルとマッチングし、最も生存にとって適した行動を選択します。そのことをここでは「実行の選択」と表現しておきます。

さらに、いったん実行に移された行動の結果は必ず分析の対象となります。そうした分析結果を踏まえて、その実行が良い結果であったか悪い結果であったかを判定し、脳はその実行選択の是非を学習します。その結果、メンタルモデルの拡充、修正をしていくことになります。学習したメンタルモデルのさらなる学習が脳の中で生じるわけです。まるで、大きなジグソーパズルの

表1　動植物の遺伝数比較

種	塩基対	遺伝子数
イネ	3.9×10^8	約32,000
トウモロコシ	2.3×10^9	約32,000
カエノラブディティス・エレガンス（線虫）	1.0×10^8	約19,000
ヒト	3.0×10^9	約21,306

ピースが、小さなジグソーパズルのピースになって、精緻な絵がそこに浮かび上がっていくかのようです。人生の長い年月をかけて描かれていくその絵が、結局は個性として表れてくるわけです。

脳の「環境適応」の能力は、「環境の受容」→「メンタルモデル」→「実行の選択」→「結果の分析」→「学習」→「新しいメンタルモデルの獲得」を繰り返して作られていきます。こうしたプロセスを脳が経験していくことによって、短期的な環境変化に対して柔軟な形で適応していくことができるわけです。短期的な変化があるからには、長期的な環境変化というものも存在します。そして、長期的変化への適応を支えるのは遺伝子の役割でもあります。

単純に遺伝子の数をいろいろな生物で比較するととても面白いことが分かります（表1）。遺伝子の特定技術がない頃には、当然多様な機能を持つヒトのほうが植物に比べて遺伝子数が多いだろうと考えられていました。しかし、ヒトの遺伝子数よりも植物であるイネやトウモロコシのほうが多いことが分かってきました。ヒトの遺伝子数は実は確定しておらず、２０１８年の段階で２万１３０６個となっています。

興味深いことに、ヒトの遺伝子数はHuman Genome Project（ヒトの約30億個の塩基対からなるＤＮＡの配列を明らかにし、さらに遺伝子を明らかにするプロジェクト）が始まった１９９０年には、約10万個と推定されていました。しかし、解析していくうちに、どんどんその遺伝子数は減っていったのです。[16] ヒトの遺伝子を解読する前に選ばれた生物は、Caenorhabditis elegans（カエノラブディティス・エレガンス）という名前の線虫で、その全ゲノム配列の決定が３年間のパイロットプロジェクトで、１９９８年に解析が終わりました。その結果、ＤＮＡの塩基対は約１億で遺伝子数約１万９０００個でした。[17]

一方、植物はといいますと、イネやトウモロコシの遺伝子数は約３万２０００個と推定されています。こういったことが明らかになってくると、高等で複雑な機能を持つヒトの遺伝子数がそれほど多くないのはおかしいという意見も出ていました。[16][17][18][19]

たしかに、高等であれば遺伝子が多いように思いがちですが、そういうことでもないようです。脳が発達し、短期的な変化への適応能力が高まれば、長期的適応のことを気にする必要性が低下していくという説明もできそうです。そうなると、不要な遺伝子は捨てていけるので、遺伝子数は少なくてもかまわないとも考えられます。

特に人類は、いずれ宇宙空間でも生存できる人工的な環境を手に入れるでしょうから、自然界の変動に適応する遺伝子は、どんどん捨ててきたのかもしれません。

ところで、ここで少しだけ見方を変えてみましょう。

脳がより良くなるということは、環境への適応能力が高まるということで定義してみましょう。この時、環境適応能力が高まるということは、より強靱で多様なメンタルモデルを獲得していくということです。さらに、強靱なメンタルモデルを習得するためには、当たり前ですが強靱なメンタルモデルを作るための環境刺激が必要です。どのような環境刺激が脳にとって良いのかを考えることはとても重要といえます。

脳から見るとその環境刺激は入力信号ですので、脳が生存のためにようりうまく機能するには、いかに最適な入力信号を送り込むかが重要なカギを握っています。つまり、環境を最適化することこそが、脳を良くするためにはもっとも重要なことです。脳がより良く働くということは、つまり、心が拡張され、より良く生きられるということですから、環境からの刺激を最適化することが欠かせないわけです。前述のように、環境が遺伝にも影響する可能性が、指摘されはじめています。「心にひびくデザイン」というタイトルをつけた一つの理由として、人の心を中心とし、そして、その心の拡張を意図した環境設計という概念が今後大切になってくると考えているからです。特に、COVID-19など地球規模のリスクに直面し、ＩＴ技術を駆使した仮想的なサイバー空間の構築は、可及的速やかに実行されなければならないことが明らかとなってきました。まさに、人工的な環境構築の最たるものですが、その設計に脳神経科学で代表されるような生物学的視点を導入することで、実世界だけで生活するよりもより良く生きることも実現できるはずです。

次章からは、そういったことを意図した研究やその社会実装の事例を紹介します。

補章　技術談議「脳機能計測技術の少し深い話」

光を使って脳機能を測る

脳機能計測技術の話は少しばかり専門的すぎるので、技術に興味のない方は読み飛ばしてください。ただ、脳機能の計測技術はみなさんが思っているよりもはるかに、脳の理解に貢献しはじめています。ここでは、補章的に、脳の機能を計測する技術について紹介します。

まず私たちが開発してきた「光トポグラフィ」という技術についてご紹介します。私は、はじめは脳の機能を理解することを目的とした研究はしておらず、癌や脳梗塞の診断をめざした新しい生体計測技術の開発を行っていました。日立製作所の中央研究所に入所してすぐに与えられた研究テーマでしたので、とても興味深く純粋に研究に打ち込んでいました。ただ、原理的な限界が見えてきて、最初に掲げたその研究の最終目標は達成が難しいことに気が付きました。３年ほど進めてから、研究の方向性を変えなければいけないターニングポイントを迎えたのです。

一方で、１９９０年代初頭からfMRI（functional Magnetic Resonance Imaging：機能的核磁気共鳴法）の研究開発が契機となり、世界的に脳神経科学への関心が高まりはじめました。それは当然なことと思います。それまで、脳の機能や精神活動といったものは情報であって、形のないものでした。しかし、当時開発されたfMRIによって時空間的にその機能が形を持つものとして可視化されたのです。ある心理状態の時の、脳の活動部位が見えるわけですから、このことは多くの科学者だけでなく、一般の方の好奇心も突き動かしました。これは大変不思議なことですが、今まで見えなかったものが見えると、とたんに興味がわくようになるのも脳の特別な機能の一つです。歴史的にも、顕微鏡や天体望遠鏡が開発され、見えなかったものが可視化されることで、一気に生物や宇宙の分野の研究が進んでいったのも同様です。人間の脳は視覚情報処理に大半のエネルギーを消費し、視覚情報から強い影響を受けて思考する特徴があるからです。

そして、その流れは様々な研究領域に結びついていきました。私たちが開発してきた光を用いた生体計測技術も、脳機能計測に活用できると仮説を立て、研究の方向性を脳機能計測に切り替えていきました。当時、上司だった小泉英明氏の熱い思いと、強いリーダーシップの下、私たちのグループにおいて光トポグラフィの研究開発と脳神経科学応用の研究が始まりました。それ以来、四半世紀を超える時間を脳と共に過ごす、やや大げさないい方にはなりますが、そんな生活が始まったわけです。しばし脳機能計測の歴史と光トポグラフィについての話が続きますが、どうぞご辛抱してお付き合いください。

光トポグラフィは、脳を測定するいくつかの方法のうち「無侵襲的」と呼ばれる方法のひとつです。無侵襲的方法とは、メスを入れたり針で穴を開けたりなどの行為をしないので人間の肉体には傷をつけず、与えるダメージが皆無の際に使われる呼び方で、一般の方にはあまりなじみはないと思います。

脳機能計測技術の歴史

もっとも古い無侵襲脳機能計測技術は、みなさんがご存じの脳波計測技術です。1929年にドイツの精神科医、ハンス・ベルガー[20]によって報告されました。これと似た方法に脳磁というものがあります。少し細かい話になりますが、脳波では脳から生じる電気活動を電極で測定するのに対し、脳磁では脳の電気活動によって電流の流れる方向に対して垂直方向に生じる超微弱な磁場を、非常に感度の高いコイルを用いて測定する方法になります。脳磁の測定は、米国の物理学者ディビッド・コーエンが１９６８年に最初に報告したとされています[21]。少し残念なのは、コーエン自身が、脳磁場計測からは脳波計測と大差ない信号しか得られないようなことを別の論文で述べていることです。

本来、磁場の通りやすさを表す数値（透磁率）は、人体の中ではほぼ均一なので、磁場は電場よりも複雑には広がらずに透過します。したがって、磁場を用いたほうが、原理的には空間分解能が高い計測が可能になります。体に傷つけずに神経活動を精度良く計測できれば、脳の理解はより深まるので、科学としてこの計測技術の開発と応用が、もっと広がっていくことが望ましいですね。ただ、脳磁計は非常に高い感度の磁場計測が必要なため、ノイズとなる外部の磁場変動をシールドすることが必要です。また、現時点では検出器に超伝導コイルを用いているので、液体ヘリウムを使用しなければならないことがネックとなっていて、脳機能計測の目的だけではどこにでもおける装置というわけではありません。

一方で、脳の電磁気的活動の計測ではなく、脳のエネルギー代謝に着目する方法が考えられるようになりました。現在の神経科学の進展に最も寄与したと考えられる、fMRIが考案されたのです。脳、がん、関節などの検査で用いられる、ＭＲＩの技術を応用したものです。この技術は、脳内神経活動に伴う血流変化に起因した磁場の変化を画像化します。その原理の一つとして、ＢＯＬＤ（Blood Oxygenation Level Dependent）信号が動物実験として報告されたのは、１９９０年です。[22]この信号の由来は、血液中に含まれる酸素を運ぶ物質である、ヘモグロビンです。ヘモグロビンは赤血球中に含まれているので、全身を循環します。肺に到達するとヘモグロビンは酸素と結合し、その後、心臓によって体の隅々に送り出されて、体の各組織に酸素を渡します。その時に、酸素化ヘモグロビンから酸素がはずれ、脱酸素化ヘモグロビンになります。この脱酸素化ヘモグロビンは、酸素化ヘモグロビンと比べて、磁化率（磁石のような性質の程度を表す数値）が異なるため、酸素化ヘモグロビンと脱酸素化ヘモグロビンの濃度が変わるとＭＲＩの中の磁場に歪みを与えます。これがＢＯＬＤ信号の由来と考えられています。その後、この信号はネズミだけでなく人の脳内、それも、脳の活動部位に特異的に観測されることが示され、精神活動を（いい換えると心の働きを）観測することができるようになったのです。[23]この原理は、親しくさせていただいている小川誠二氏がベル研究所時代に発見されました。

一方、人の脳活動が起こると、活動した部位では血液が増えることが知られていました。脳が活動した場所では、そのエネルギーを補給するために酸素とグルコースを必要とします。それらが足りなくならないように、活動部位の血液量を増やす仕組みがあります。しかも、必要な酸素の量よりも多く血液を増やすので、結果的に酸素化ヘモグロビンが活動前よりも増えるのです。その変化を画像化することで、脳が活動した場所が分かるのです。実際には、現在使われているfMRIの信号源はもう少し複雑であるということが分かってきていますが、専門的すぎる話になるのでここでは省きます。

このfMRI技術を用いると、脳全体の活動の様子を詳細に観察することができますが、強力な磁場が発生するため、装置を設置する建物ごと作らなければなりません。したがって、高いレベルの基礎研究用途には向いていますが、日常的に脳の活動を計測して何かに役立てるようなことには不向きです。

こうした流れの最後に登場する脳機能の画像計測技術が光トポグラフィです。光トポグラフィの方法論を論文として発表したのは１９９５年になります[24]。日立製作所の中央研究所で開発した「光トポグラフィ」という用語は日立製作所の登録商標としました。しかし、厚生労働省が扱うようになったため一般公開し、２０１９年に商標更改時期が来た際にその商標権維持を取りやめ

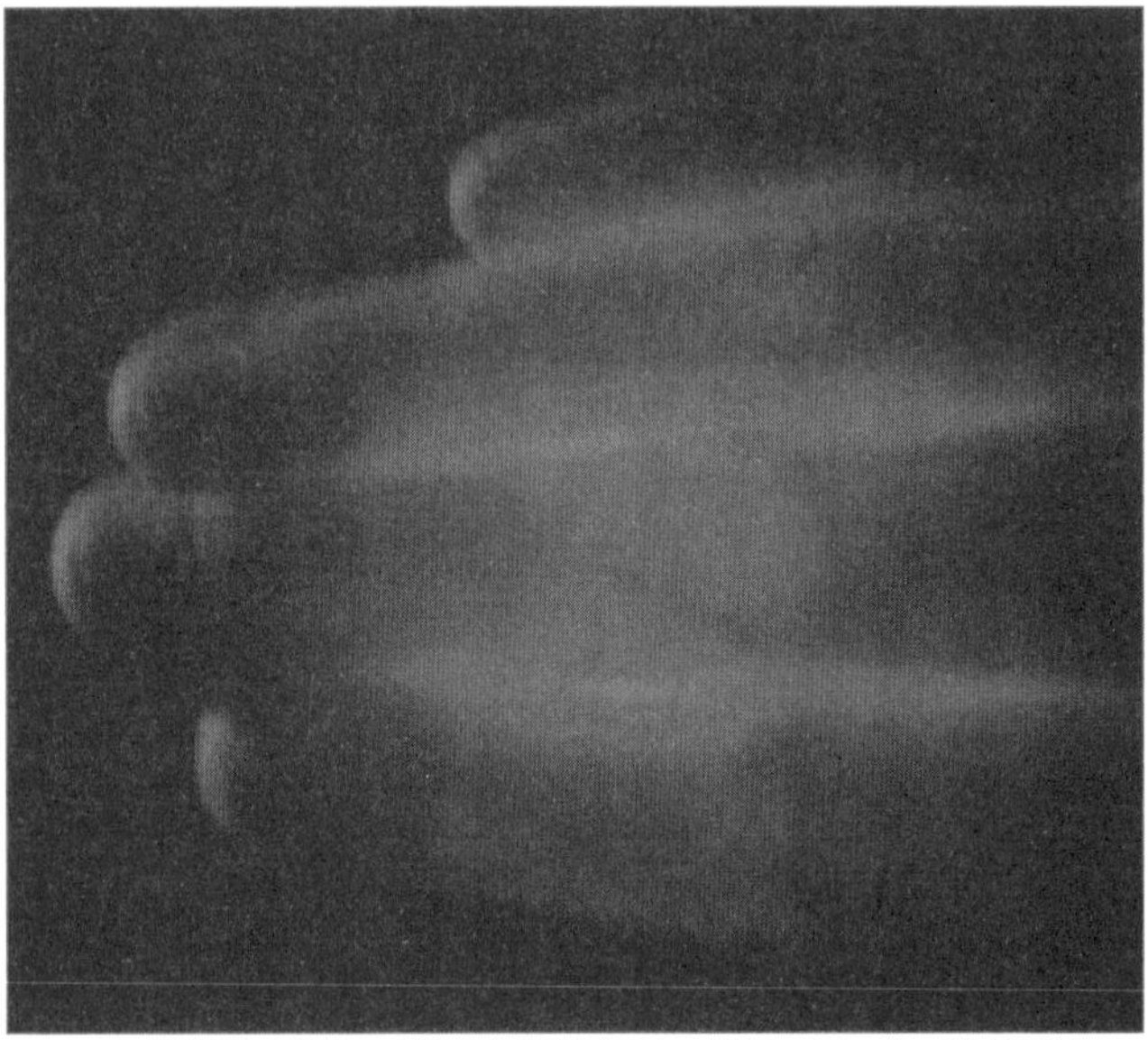

手のひらの反対側から白色の自然光を照射すると、波長の長い赤い光が透過してくる

図7　波長の長い光は生体を透過する（口絵カラー参照）

ました。この方法論の開発は工学の専門家だけでなく、脳神経外科医である渡辺英寿氏のご協力がなければできませんでした。

この技術は、比較的生体を透過しやすい微弱な光を用いて、先ほどの酸素化ヘモグロビン、脱酸素化ヘモグロビンの量の変化を計測する技術です。図7に示した図は、手の反対側から白色の光を照射して反対側からその投下した光を観測したものです。カラーページで見ると、赤い光が透過していることが分かりますね。これは、夕焼けが赤く見えるのと同じように、

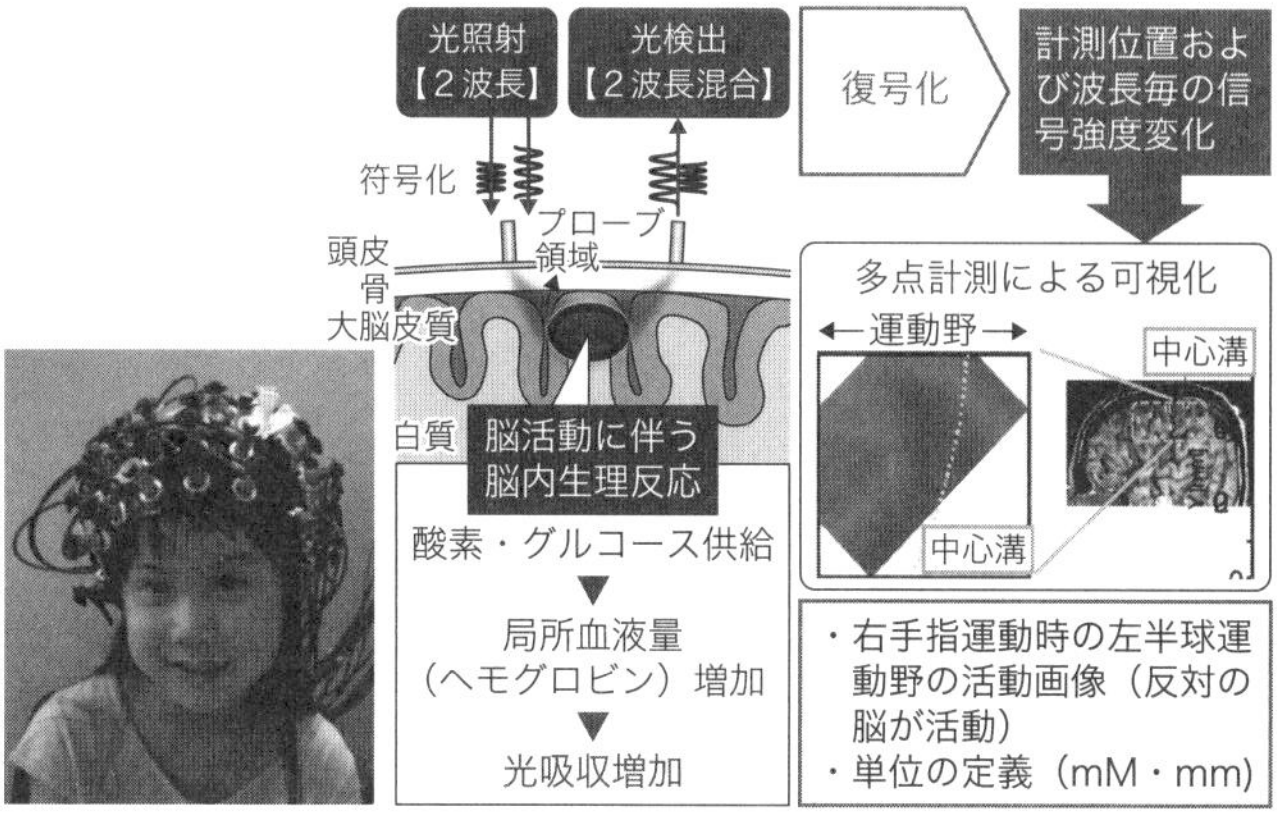

図８　光トポグラフィの原理（口絵カラー参照）

可視光の中でも波長の長い赤い光が、人の組織の光散乱の影響を受けにくいことによるものです。

光トポグラフィの計測結果を基本原理と一緒に図８にお示しします。これは、私たちが光トポグラフィの技術を開発し、映像化した最初の脳活動です。先ほど、ペンフィールドが運動と感覚の脳機能を担う場所を、頭開手術中の電極刺激で特定したと書きました。もちろん、電極の空間分解能には勝てませんが、頭を開けずに健常者の運動時の脳活動を画像化したものです。

この研究で作った実験デザインは、「人の指の運動制御はその指がある手の反対側の運動野が深く関わっている」という知識に基づくものでした。この実験では、第一の実験でも第二の実験でも、左半球の運動野の場所を計測します。先ほどの知識を使うと、右の指をタッピングしたら左の運動野は活動し（第一の実験）、左の指をタッピングしたら活動しない（第二の実験）ということになります。とてもシンプルなデザインですが、明らかに脳の活動による信号であるという証明をしなければならなかったので、当時としては良くできていたデザインであったと思います。そのほかにも、いくつか工夫した点がありますが、本題からそれるので割愛します。結果は、予定したとおり右の指タッピングの時にだけ、顕著な血流の変化が左半球の運動野で観測されました。

図8で示すように、光トポグラフィでは、脳の大脳皮質と呼ばれる部分から散乱してきた光を検出して、その部位の血流の変化を測定します。測定に要する時間は、対象にもよりますが、準備も含めて概ね10分から30分程度です。このように、脳機能計測の技術を活用することで、体に害を与えずに、脳のある部位が担う機能を記述することが可能になったわけです。そのほかにも、これまでなかった単位を決めるなど、工学的に苦労した部分もありましたが、とても楽しく研究開発を進めることができました。

もちろん、ブローカをはじめとする先達の、想像を絶する努力のおかげで、今の私たちの研究もまた存在することが許されています。そもそも、脳のある部位がある機能を担っているという

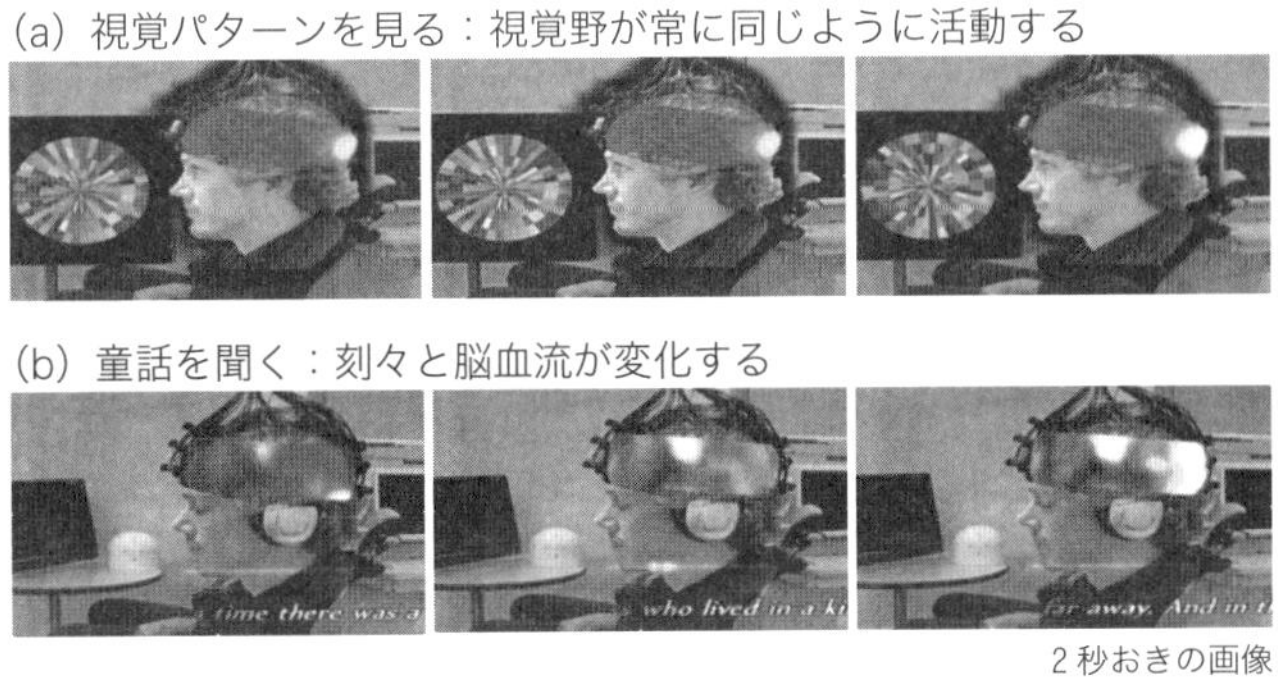

図９　脳の活動を映像化する技術（口絵カラー参照）

考えは、普通にはなかなか思いつかないものです。そういった考えを仮説として置いて実証することが、どれだけ難しく時間がかかることかは容易に想像がつきます。

しかし、脳機能計測技術の進歩によって、いつでも、だれでも脳の機能を目に見える形で表現できるようになって、大きく状況が変化しました。脳機能を理解する時計の針が、これまでとは違うスピードで回りはじめたのです。図９（ａ）には無意味なパターン映像を見ている時の脳活動を、図９（ｂ）には童話を聞いている時の脳活動をそれぞれ時間に沿って左から右に示しました。

ムービーで見たほうがより分かりやすいのですが、比較するとまったく異なることが直感的に分かると思います。パターン映像を見ている時には後頭葉視覚野の活動はその場所で高い活動が維持されていますが、童話を聞いている時には脳全体の様々な部位で刻々と活動が変わっていくことが分かります。無意味な視覚パターンに比べて、意味のある童話の情報は常にダイナミックに変化しているので納得できます。

科学においては自然現象を観察して、そこに意味のある仮説という妄想を膨らませる直感がとても大切です。そのため、この技術を開発する際に画像化するということにこだわりました。

科学の進歩には脳機能の画像計測の技術はとても大切ですが、個人的に脳機能計測技術の重要性が心に沁みた事例はもっと身近なところにありました。小暮久也氏（医師）からのご依頼で脳に障害のある1歳半のお子さまの脳機能計測をした時でした。このお子さまは、周産期の事故で脳の大部分が形成されず、どのような機能が残存しているかも分からない状況でした。お母さまとしては、少なくとも目が見えているのかどうかを知りたいと切望されていたのですが、会話もできませんし行動を観察していても分からないということでした。

そこで、視覚の機能を担う視覚野活動の計測を実施することになりました。図10の左に示した脳の形態画像（ＭＲＩ画像）を見ると、後頭葉の視覚野は形成されています。そこで、残存して

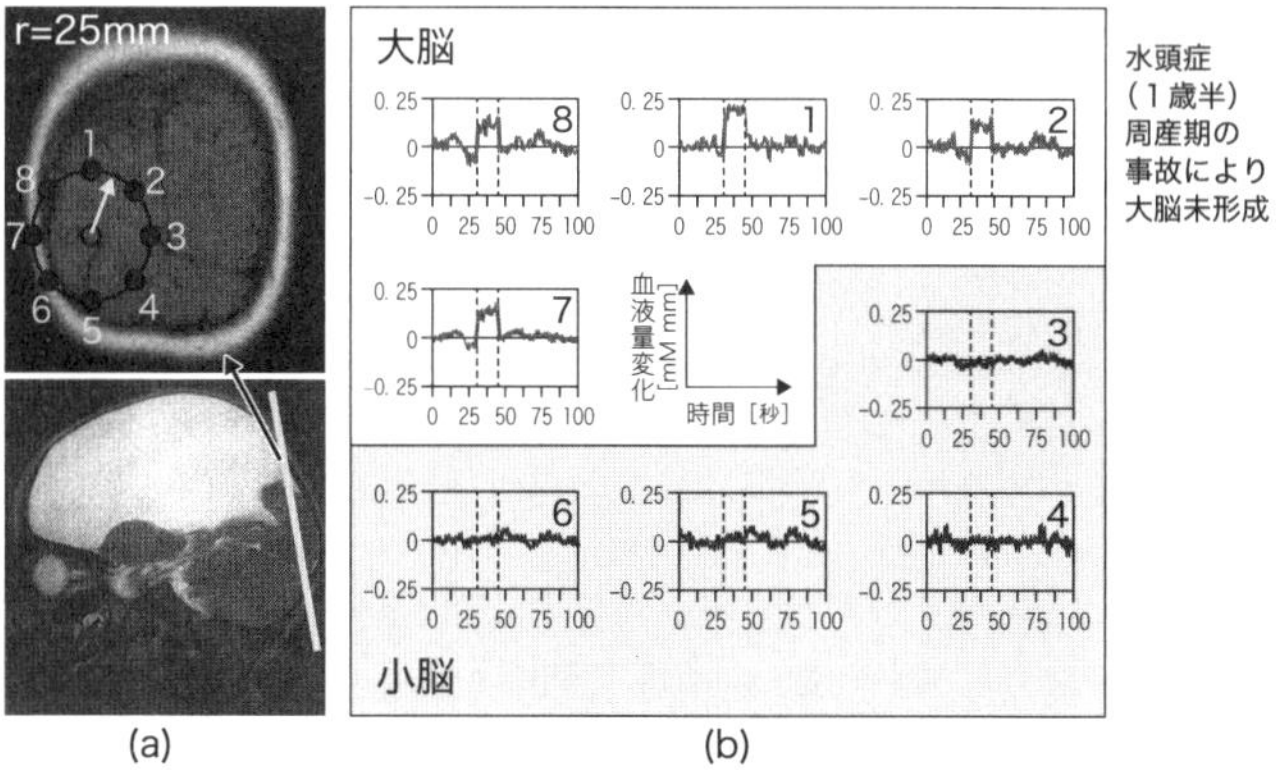

図10　脳機能計測による精神活動可視化の意義

いる視覚野が活動するかどうかを光トポグラフィで観測することにしました。

当時は装着技術も未熟で計測個所を多くすると時間がかかるため、できるだけ少ない計測個所で計測することにしました。この計測では、いろいろと考えた末、大脳後頭葉のすぐ下にある小脳（ＭＲＩ画像のラグビーボール形状の部位）は視覚刺激では積極的には活動しないという知識を使いました。

１歳半のこのお子さまに光の点滅を見てもらったところ、未形成の大脳にも然るべき血流の変化＝脳の活動がたしかに存在していました。一方、小脳では全く信号がでませんでした。視覚野で脳の活動が認められるということは、光を認識しているとはいえませんが、少なくとも光を感じているといえます。

この計測で、他の方法ではできないそのお子さまの心に踏み込み、お母さまの願いに少しだけ寄り添えたことがとても嬉しく思いました。そして、脳機能計測の必要性を強く感じた瞬間でした。

声なき声に耳を傾ける。これまでの技術ではできなかったこと、あきらめていたことを可能にしていく。それこそが社会の未来に対する科学者としての責務であり、科学の重要な目的だと私は確信しています。

２０１９年の時点における、研究成果の産業面への応用の話をいたします。光トポグラフィの技術を活用した医療用測定機器を、２００１年に日立製作所の関連会社・株式会社日立メディコ（当時の社名）が発売しました。同機器は翌２００２年に脳神経外科の分野で保険診療の対象にも認定されました。さらに、２００９年には、抑うつ状態の測定に関する先進医療用機器としても活用され、こちらは5年の期間を経た２０１４年に、当該分野でも保険診療の認可を受けました。また、日立製作所の新事業開発本部を経て、東北大学と（株）日立ハイテクノロジーズ（現日立ハイテク）のジョイントベンチャーである（株）ＮｅＵが生まれています。この会社は、長谷川清氏が中心となって、光トポグラフィによる脳機能計測を軸とした、未病の分野での脳科学ソリューションを生み出すことに挑戦しています。本当に難しい分野ですが、とても重要な社会課題である脳疾患を予防することに向けた応用も立ち上がってきました。

基本技術を発表したのは１９９５年ですので、なぜこうも時間がかかるのか不思議に思われるかもしれません。しかし、これは、人を直接対象とした技術の宿命です。のちに、立体ディスプレイの話も紹介しますが、人を対象とした技術は個人差が大きな壁になります。たしかに、脳は、脳のある部位がある機能を担うという地図のようになっています。しかし、人それぞれ個性があるように脳の働き方も微妙に異なります。神経系は学習を担う器官ですので、個人差だけでなく時間が経つと反応が微妙に変わります。そのため、個人差や時間に対する信号の特性をきちんと捉えた基礎研究の蓄積が必要となるため時間がかかるのです。ただ、光トポグラフィでは、これまでなかなかできなかった日常的な脳活動信号が捉えられるようになってきたわけですから、今後も研究の進展とともに新しい応用技術は生まれてくるでしょう。

fMRIでは磁場を用いましたが、光トポグラフィではその名のとおり光を用います。先ほど酸素化ヘモグロビンと脱酸素化ヘモグロビンでは磁化率が異なると書きましたが、それ以外にも、酸素がついているかいないかだけで、光を吸収する性質が異なることが分かっています。ご存じの方は多いかと思いますが、酸素化ヘモグロビンが１００％近く含まれる動脈血（組織に酸素を渡す前の動脈にある血液）は明るい赤い色をしており、組織に酸素を渡した後に酸素化ヘモグロビンが約70％まで低下した静脈血は暗い赤色をしています。チアノーゼ（呼吸困難などで酸素が不足した状態）で、唇の色が黒くなるのも、著しく酸素化ヘモグロビンが減り、脱酸素化ヘモグロビンが増えるからです。このような血液や唇の色の変化は、酸素化ヘモグロビンと脱酸素化ヘモグロビンの光吸収特性の違いによって演出されています。そして、計測の特徴から見たfMRIとの違いは、光トポグラフィを用いると酸素化ヘモグロビンと脱酸素化ヘモグロビンを別々に計測できることにあります。しかし、残念ながら、光の透過性は磁場よりもずっと低いので、光は脳の表面までしか届きません。そのため、脳のうち大脳皮質と呼ばれる、最も表面に位置する部分の脳活動の測定に特化したものが、光トポグラフィ法になります。

人間の脳は深い所から進化してきたので、最も表面に位置する大脳皮質は、運動・五感だけでなく、人間に特別に与えられた言語機能など高次元の精神活動を担っています。脳の構造は生物進化とともにその構造と機能が高度化されてきたと考えられていて、人間の脳は、脳の内側から進化してきた爬虫《はちゅう》類脳、哺乳類脳、新哺乳類脳が三位一体で働いているという説が有名です。[25]

この説にしたがえば、最後に進化した最も外側にある大脳皮質は、人間の精神活動においてと

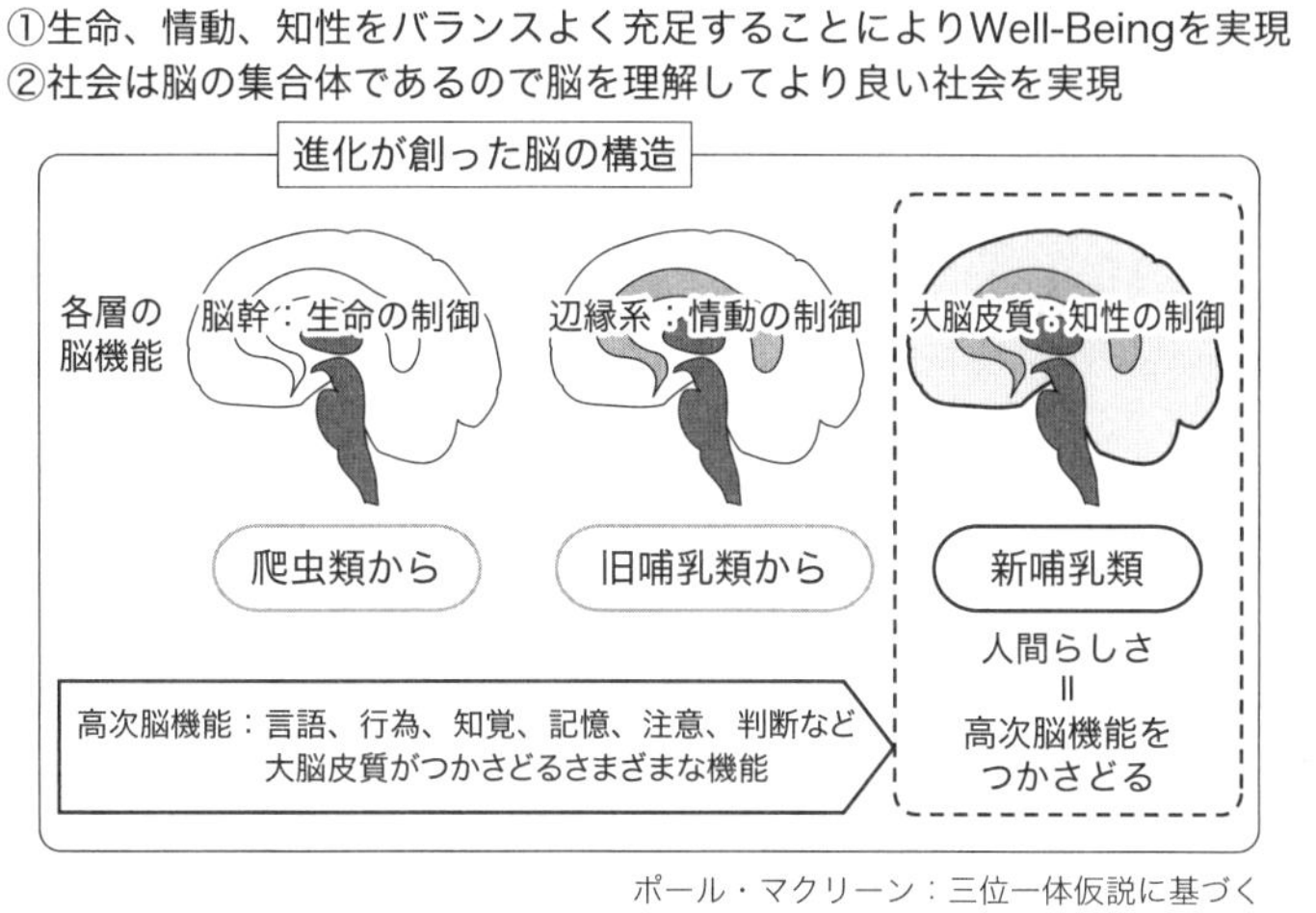

ポール・マクリーン：三位一体仮説に基づく

図11　脳から考える人の Well Being

ても大切な場所になります。

図11は、脳の深部から進化してきた脳を図式化し、それぞれの部位が担う脳機能の概略を示しました。内側から「生命の制御」を担う脳幹部、「本能や情動の制御」を担う大脳辺縁系（古皮質ともよぶ）、「知性の制御」を担う大脳皮質（新皮質ともよぶ）の３つの部位から構成されます※。人の脳の秘密を知ることで、人の Well-Being の実現や脳の集合体である人間社会をより良いものにできると考えたのです。

ただ近年、その説がとなえられた頃よりも研究は進み、鳥類も外套と呼ばれるしわのない大脳皮質を持つことが明らかとなってきました[26]。したがって今となっては、必ずしも爬

※現代の神経科学では、脳の大分類は大脳・小脳・脳幹の３分類が一般的であり、この分類法とは異なる。

虫類脳、哺乳類脳、新哺乳類脳という呼称は正しくないことはご承知おきください。

筆者の悪い癖で、少し話がそれましたが、要するに光トポグラフィでターゲットとした最も表面に位置する部分の大脳皮質は、人間を人間たらしめている進化の頂点に立つ知性の座であるということです。この部位は、人間にしかない言語や高度な思考を司っており、体に害を与えずその機能を計測できる技術は、人間性そのものに切り込むことができる技術であると考えて開発を進めてきました。

光トポグラフィ法は、被験者に窮屈な姿勢を求めるとか、あるいは、特別な設備はまったくいらないなど、日常的な状況下で脳機能を計測できるメリットがあります。やや工夫を施さなければ本来の測定対象ではない皮膚血管からの信号も拾ってしまうという問題はありますが、正しく用いれば安全でかつ精度の面でも信頼性が高い測定方法です。

ここで、使っている光の特性と計測技術の名称について少し書いておきましょう。学術界では、NIRS（Near InFrared Spectroscopy：近赤外分光法）に基づく、機能的（function）計測方法ということでfNIRSと呼ばれています。海外で名付けられたのですが、国内でも右に倣えでその名称を使用しています。私も当初ＮＩＲＳの原理に基づいて、脳活動の画像計測を始めていったので、NIR Topography（等高線図）と名付けました。しかし、いろいろ調べていくと、近赤外と呼ばれる波長域は、７５０nmあるいは８００nmから１４００nmあるいは２５００nmまでなど、その定義はかなりあやふやです。

赤外というのは、可視光の中で最も長い波長である赤い光より長い波長の光のことです。そのため、赤外は目に見えない波長域でなければなりませんので、少し違和感があります。私たちが使っていた８３０nmであっても、弱々しいですが実験室では目で見ることができることを知っているからです。そこで、最初に使っていたNIR Topographyという名称はやめて、最終的に光を使って脳の活動を等高線のように画像化する方法という意味を込めて「光トポグラフィ」と名付けました。その後、計測に適した波長を調べていくと、可視光の領域のほうがより信号の精度が良い場合も見つかってきました[27]。

したがって、本書では学術界で慣習的に使われているfNIRSという言葉は使わず、この脳機能画像計測の技術を「光トポグラフィ」という言葉を用います。個人的には、electroencephalography（脳波計）やmagnetoencephalography（脳磁図）と合わせて

optencephalography（光脳図）というネーミングも良いのではないかと思っています。学術界も意外と論理的ではないことに驚かれるかもしれませんが、最終的には後世の人々が論理的かつ客観的に名称を決めてくれるでしょう。

脳機能計測技術の使い方

脳機能計測技術というと、測ることだけに考えが偏ってしまい、その使い方を考えなくなってしまいがちで、私たちもそうでした。しかし、視点を変えると違う使い方もあります。こういった技術を使って、考えていることが映像化できる、あるいは、言語化できるのであれば、考えにしたがって外の装置を動かすということもできそうです。ずいぶん前のことになりますが、「光トポグラフィ」を使って、脳の信号から外部の機器を動かすという研究を行っていました。計測するだけでなく、外部装置へ入力することにより、コンピューターゲーム、環境制御装置、学習度判定装置、乗り物の警報装置、医療用診断および警報装置、意思表示装置、情報伝達装置などに使えるからです。[28]

この研究でめざした課題は、光トポグラフィを装着し、脳の信号を使って外部の機器を動かすというものです。先ほどの、「マトリックス」の例では外部から脳に対して制御信号を与え、脳を自由に駆動するというものでしたので、逆のパターンですね。

非常に難しい制御は簡単にはできないですから、ここで設定したのはOn/Offができることを目標としました。On/Offさえできれば、スイッチが制御できるので、理論上は多くのものをコントロールできるからです。

ここで、この研究の理解のため、脳の働き方が場所によって異なることについてお話しします。詳細な脳の構造や機能の地図は多くの良書があるので、ここでは細かく記載しませんが、脳前半分の機能と後半分の機能の違いについて説明しておきます。それは、脳の一番外側にある大脳皮質の機能は、前半分が出力系、後半分が入力系の働きを担っているということです。

すなわち、様々な感覚器から入った感覚情報は大脳皮質の後ろ半分で処理され、そして、出力制御に関しては大脳皮質の前半分が担っているということです。ただ、これらはバラバラに動いているわけではなく、協調しながら動いています。前に説明した言語野も、前のほうにあるブローカ野と呼ばれるところは運動性言語中枢と呼ばれ、発話の機能に深くかかわっている出力系で、後ろのほうにあるウェルニッケ野と呼ばれるところは感覚性言語中枢と呼ばれ、聞いたことを理解する機能にかかわっている入力系になります。そのため、機械を脳の信号で制御するには、出力制御を担う脳の前半分を使うのが合理的です。例えば、運動の意図は意識に上る前から前頭葉の真ん中にある前頭極から開始されることが知られています[29]。そのため、この研究では思考の信号を制御に使うために、前頭葉を計測領域にしました。

それでは、この研究で開発したシステムと、そして、どのように脳の信号で外部の機器のOn/Offを制御したかを紹介します。この研究で開発したシステムを図12に示します。まず、光トポグラフィシステムで前頭葉の脳活動信号を計測し、その信号をいったん計算機に取り込みます。その後、その信号を判断してコンピューターから模型の電車を動かす・止めるという制御信号を出します。ただ、脳の信号の特徴は個人ごとに異なるので、まず参加していただいた方々の脳活動パターンを光トポグラフィで計測し、5分ほどコンピューターに学習させました。この時に、脳が活動するように、短期的な記憶実験を行いました。要するに、一人一人の脳活動パターンを計算機に学習させたということになります。

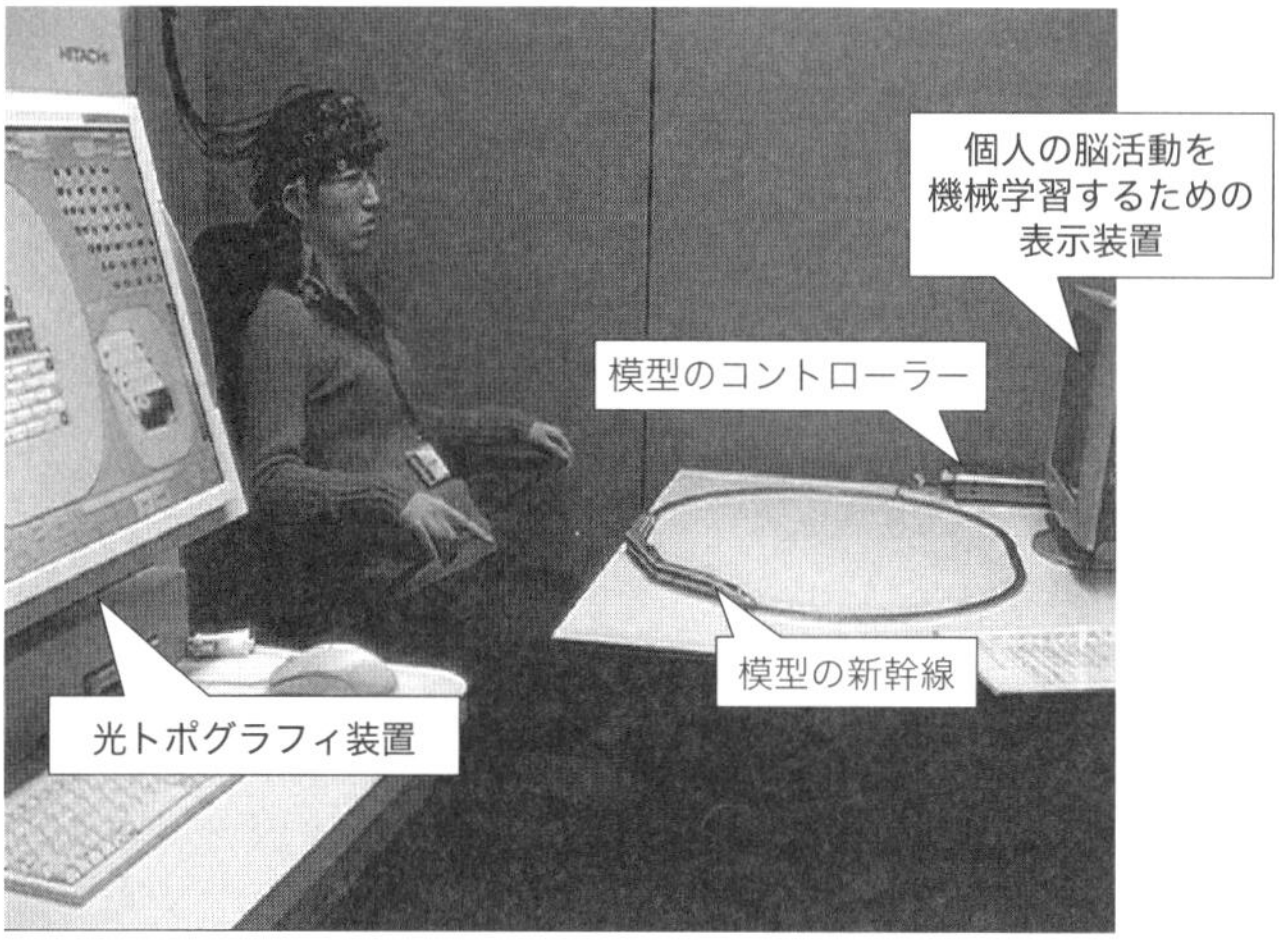

図12　脳の活動から直接制御する装置

そして、実際の外部機器のOn/offを行う実験に移ります。その時には、Onの時には何かを思い出す、そして、止める時には何も考えないというルールで模型の電車が動かせるかを試してもらいました。計算機内では、その時に光トポグラフィで計測している脳活動パターンと先ほど計算機に覚えさせた脳活動パターンを比較して、思考が開始された瞬間を判断します。ここでは何かを思い出すという思考をしてもらい、思考が始まった瞬間に、外の機械を動かす信号を出すようにします。また、思考が終わった瞬間に外の機械を止める信号を出すようにします。これで、スイッチの完成です。そういうシステムで、模型の電車を動かし、そして、止めるという実験をしたところ、約90％の確率で動かす/止めるということに成功しました[30]。

聞いたことがあるかもしれませんが、この技術はBrain Machine Interface／Brain Computer Interface（ＢＭＩ／ＢＣＩ）などと呼ばれるようになりました。実際に動いている様子を想像してみてください。脳の信号で直接外部機器を動かすと、模型の電車は考えただけで目の前で動きだし、止まります。実際にやってみると、とても不思議な感じがします。

こういった基礎研究を進めるうちに、難病であるＡＬＳ（筋萎縮性側索硬化症）の方々の思考を、家族や社会に対して伝えていく装置を作ろうという挑戦が始まりました。先ほどの図４に示したように、人が脳で考えたことを思いどおりに出力することができる手段は、筋肉しかありません。そういわれると意外と思われるかもしれませんが、運動、言葉など外へ何かを出力する際には、常に筋肉を使って制御されています。ところが、ＡＬＳという疾患では、この筋肉が動かなくなっていくので、重度の場合眼球すらも動かすことができなくなり意思を伝達する手段がなくなってしまいます。想像してみてください。痛くても不快であっても、伝えることができない状態は大変な苦痛でしょう。一方、重度のＡＬＳの方でも、脳の働きはきちんと残されていることは、いち早く脳活動信号の応用を考えていた東海大学の灰田宗孝氏（医師）と小泉英明氏が中心となって光トポグラフィで示されました[31]。

当時、ＡＬＳ患者のためのコミュニケーション支援ツールは様々に開発されていましたが、瞬きや目の動きなど最後まで残された筋肉の動きを使ってコミュニケーションをするというものでした。しかし、重症化したＡＬＳの場合には最終的にはその瞬きもなくなってしまいます。そこで、小澤邦昭氏は私たちが開発していた、脳活動を計測する光トポグラフィ技術に着目されました。筋肉は動かなくても、意識はあり脳は活動しているわけですから、その信号を使ってコミュニケーションを行う研究が始まりました。

そして最終的には、「心語り」という製品になりました。ただ、できる限り低価格に抑えたいため多くの部位を計測するマッピングでの計測はできず、１チャンネルの計測装置で実現せざるを得ませんでした。そのため、脳活動だけでなく同時に計測できる脈波なども活用し、「心語り」というＡＬＳ患者のための意思のコミュニケーション技術を作り上げました。この技術では、Yes/No で答える、いわゆるクローズドクエスチョンに対して、何かを思考した時には頭の中で考えてもらうことで脳活動を起こし、Yes の答えを得るというものです（図13）。

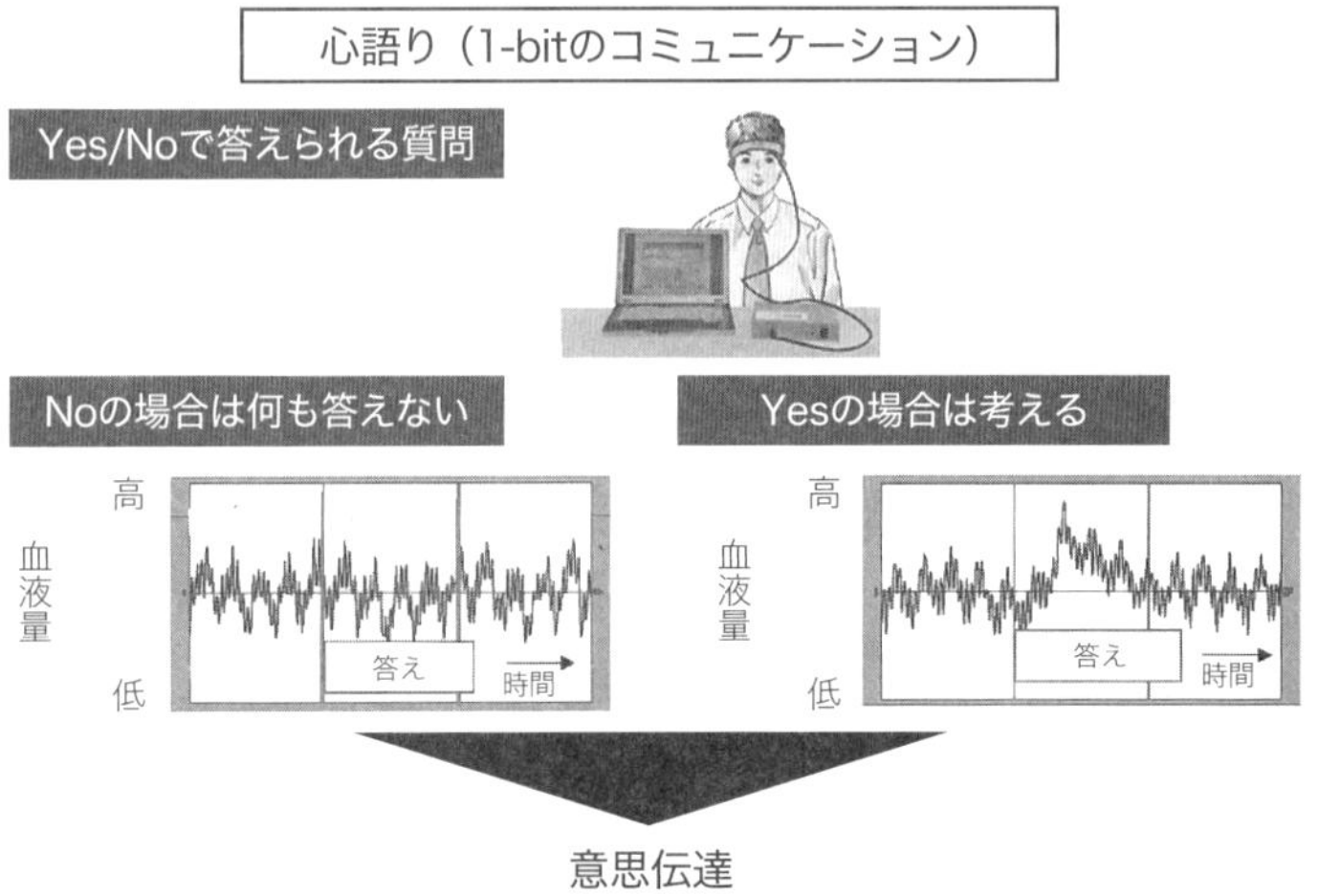

図13　前頭葉の思考波を使った意思伝達

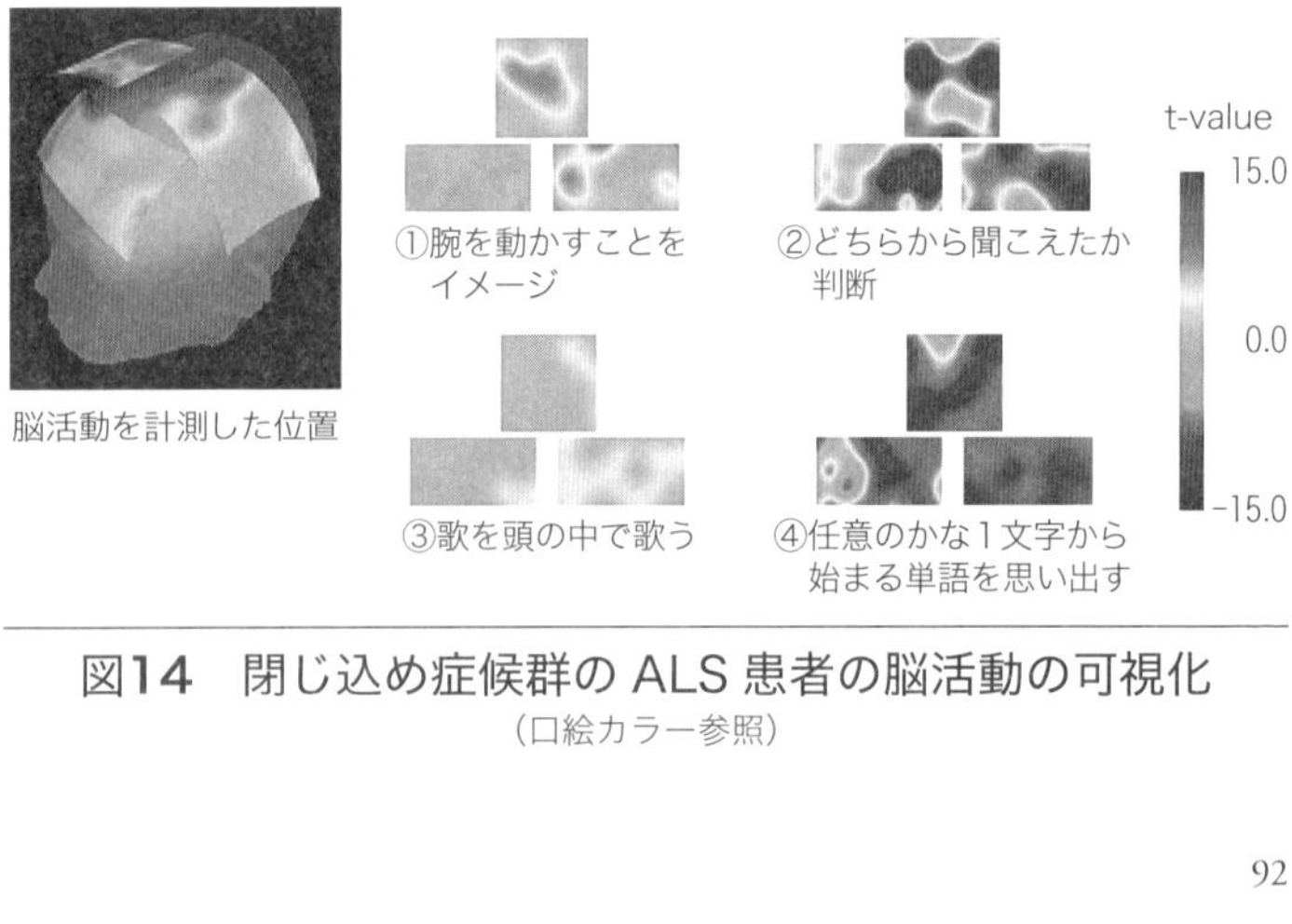

図14　閉じ込め症候群のALS患者の脳活動の可視化
（口絵カラー参照）

実際に多チャンネルの装置を使って、ＡＬＳの方の脳の活動を画像として捉えると、図14のように観察されます[32]。図14中左側の脳活動画像は、腕の運動をイメージした時のものです。この研究は、東京都立神経病院の長尾雅裕氏、林秀明氏、そしてＡＬＳの患者とそのご家族とともに進めさせてもらった臨床研究結果です。この研究では、図で示した腕を動かすことをイメージする（①）だけでなく、片耳ずつ宮沢賢治の「セロ弾きのゴーシュ」の曲を聞いてもらってどちらから聞こえたか判断する（②）、歌を頭の中で歌う（赤とんぼ）（③）、１文字ひらがなを聞いてもらってその文字から始まる単語を思い出す（④）、といった4種類のタスクをしてもらいました。その結果、4種類のタスクで脳の活動マップは、空間的にも時間的にも異なることが明らかとなりました。この結果からみると、多チャンネルの装置が安価になれば、Yes/Noだけでなく、もう少し多様な意思伝達ができるように思います。

ただ、ＡＬＳという病気は進行性の疾患ですので（図15にこの研究に参加いただいた方の疾患の進行を示します）、時間が経つと脳の活動も変化していきます。その証拠にこの脳のパターン画像の研究では、健常の方の平均的な脳活動のパターンとＡＬＳの方の脳活動のパターンは明らかに異なることが示されました。

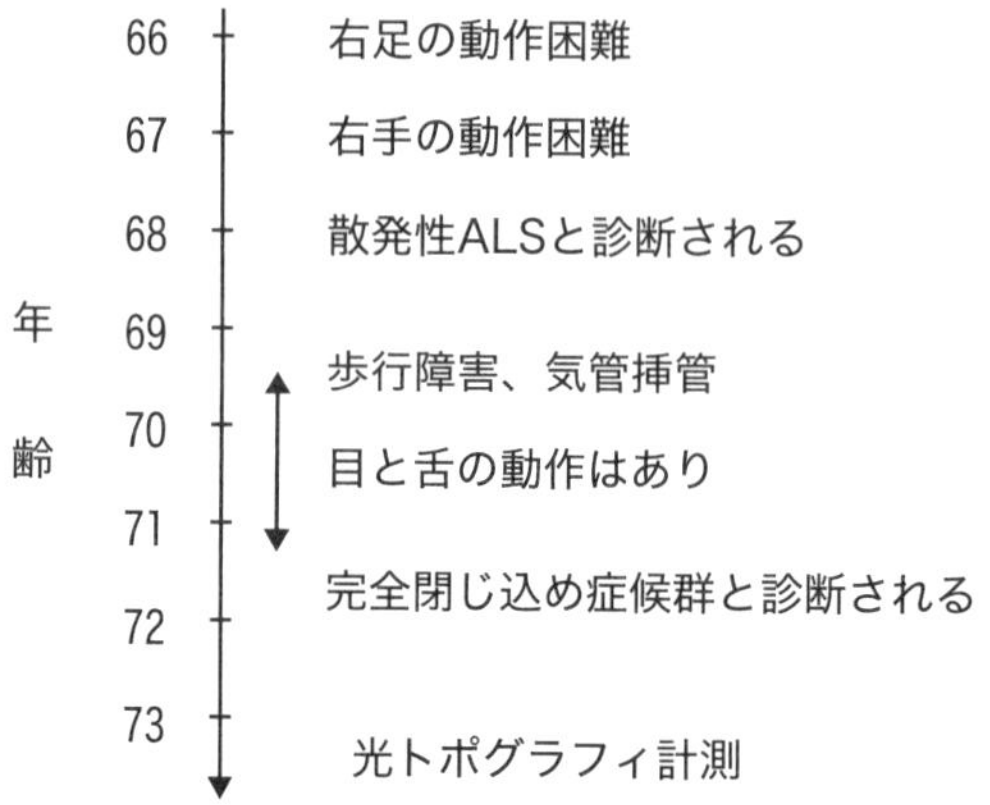

図15　疾患の進行

したがって、実際にこういった技術を使えるようにするには、日々自分の脳活動を取り込んでデータを更新していく必要があります。それも、正確な意思がまだ伝達できる時、ほぼすべての筋肉が動かせなくなる閉じ込め症候群※になる以前から、自分の脳活動と意思との対応関係を計算機に学習させて初めて、多様な意思疎通ができるようになります。

そのためには、装置の小型化は必須であり、並行して開発を進めました。光トポグラフィという技術は、原理的には半導体の光発光素子と光検出器と電気回路で構成されるものです。したがって、原理的には小さくしていくことが可能です。多チャンネルの小型化された装置も、最近になってようやく製品化されたので、今後この分野も進展していくと思います。ＡＬＳの疾患の方は、世界で約10万人とそれほど多い疾患ではないですが、私の祖父も最期はそのような状態でした。脳卒中などで閉じ込め症候群になる方まで含めると、相当数いらっしゃいます。祖父の最期は、脳梗塞で寝たきりとなり、筋肉も動かせないので手足は硬直化していました。もちろん言葉も発せないので、苦痛などを伝える手段がありませんでした。そうなると、周りも気づかないので、著しく人とのコンタクトも減っていたと思います。社会的な生物である人間、そして、自分の身に置き換えるととても恐ろしい状態ですので、こういった人たちの声を届ける手段は他の技術も含め、もっと開発されていくべきと考えています。そういった思いで、開発を進めていった結果、様々な小型装置が使えるようになってきました（図16）。

ただ一つだけ懸念があります。通常は、自分の考えを脳から遠心性神経（脳から身体に指令を出す神経）を介して筋肉に信号を伝え、その信号に基づいて筋肉が動いて外界のモノを操作します。そして、操作をしている最中には、触覚、視覚、聴覚など五感（加速度も加えると六感）からの信号を求心性神経（感覚器から脳へ信号を伝える神経）を介し、脳が常に受けとり続けています。しかし、私たちが開発したような脳信号のシステムによるＢＣＩ／ＢＭＩの場合には、視覚、聴覚からだけのフィードバックになります。

※閉じ込め症候群とは、意識が保たれ開眼していて外界を認識できるが、完全四肢麻痺と眼球麻痺のため、手足の動きや発話での意思表出能が失われた状態。

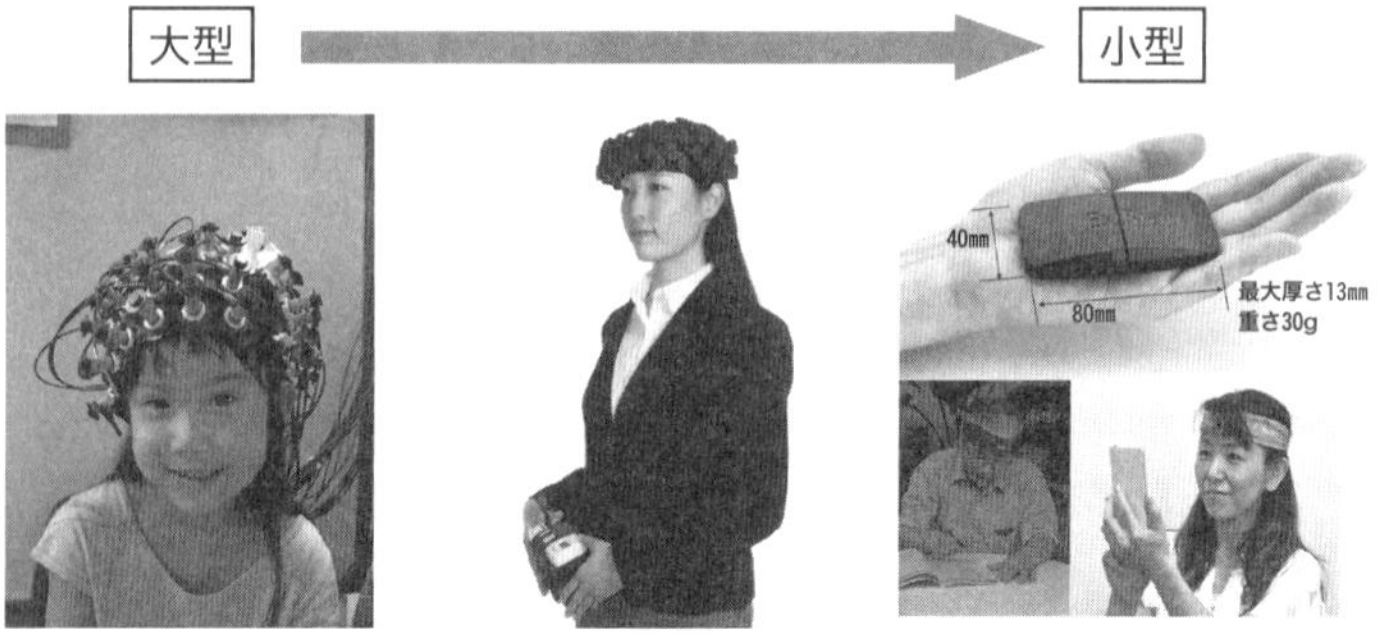

①脳神経科学・医療向全頭型光トポグラフィ

②研究用前頭・側頭葉ウェアラブル光トポグラフィシリーズWOT-HS

③超小型脳活動センサーXB-01

②, ③㈱NeU提供

図16　ウェアラブル化する光トポグラフィ

人類の脳が通常には体験したことのない、触覚を介さないフィードバック経路になるので、細かい操作をこのシステムに担わせるのは難しいでしょう。また、こういうインターフェースが脳にどのように影響するかもまだ分かりません。ただ、この技術をもっと役立てることができるのではないか、そうした観点からの研究も進みはじめていて、ニューロフィードバック(Neuro Feed-back)と呼ばれている領域が生まれてきました[33]。今後、その成果が期待されるところですが、通常の経路を介さないフィードバックとなるので脳の特性をよく理解したデザインが肝心になるでしょう。

このような脳の信号を使った装置を使う、そんな未来が実現したらどんなメリットが生じるでしょうか？　筋肉が動かせない方に対しては分かりますが、健常な人への応用はどういったことになるのでしょう。

たとえば、医師が複雑な手術で手足を全部使っていて、ほかに制御したいものがある時に、何か脳から信号を発して制御する、あるいは、私たちが自分では意識していない脳信号（眠気や気分）に合わせて、より良い環境になるように自動的に介入するなどがあり得ます。光トポグラフィの技術ではなく、侵襲的な技術ですが、米国国防高等研究計画局（DARPA）などは脳内や神経に電極を埋め込んでコンピューターと直接つなぐ研究に莫大な資金を投入しており、見学させてもらった時に驚いたことを覚えています。当時の米国は世界の警察という大義があり、そこで負傷した軍人の方への技術とのことでした。そんなことはできっこないと思うかもしれませんが、人工内耳は脳ではないにしても、聴覚神経系と機械を接続して多くの方に福音をもたらしました。感染症が克服され、生体適合材料が開発されれば、脳と機械の直接接続の実現性も低くはないかもしれません。

以上、光トポグラフィについては少し我田引水ですが、脳の機能計測技術の歴史と特徴についての概要を簡単に説明いたしました。

本章を結ぶにあたって、手段としてのすごい技術は目的を達成するために開発しているということは、再度申し上げたいと思います。私たちは、より良い社会を作ることを目的にしているのです。しかし、人の心にとってより良い環境を生み出すための評価手段として、こういった計測技術や方法論をとことん高めていくことがまず必須であると考えています。現実には、人間に対してより強く思いを馳せた目的と、より高度な手段の組み合わせが未来を切り拓いていくことになります。分野は違いますが、1000年以上前の津波を研究しつくし、3・11の震災を耐えた、津波の高さだけでなく引き波まで考慮した女川原発の設計思想は、技術者にとってはとても良いお手本でしょう。技術を過信せず1000年先までを憂い、より人間の生活と自然環境との共生に強く思いを馳せることで、最悪の事態を免れることができたのです。そして、昨今の脳機能計測技術の進歩によって、テクノロジストは人の心への影響にまで思いを馳せなければならない時代になってきたのです。

第2章　心にひびく「遊び」のデザイン

1. 遊びのデザインのはじまり

遊びとデザインのつながり

さてここからは、心にひびくデザインについて、人間の発達とのかかわりから、さらに深掘りして見ていくことにします。

本章は「遊び」のデザインと銘打っていますが、遊びが成長にとても有効という意味では、遊びは圧倒的に子どもの専売特許です。もちろん、大人にも遊びは必要ですが、それはどちらかといえば、人生の彩りや心のバランスをとることに役立っているように思います。

しかし、子どもにとっての遊びとは、もっと切実で重要な意味を持っています。子どもは遊びを通じて多くのことを学習します。遊びによって自分を取り巻く世界を理解し、親を始めとする人間関係や、さまざまな刺激に対する対処の仕方を学びます。特に乳幼児の場合には、遊びは人生そのものといっても過言ではありません。遊びについて、そう考えるようなきっかけを与えてくれたのは、若くして急逝されてしまった、バンダイの小沼智哉氏でした。そういう意味で、小沼氏との出会いがなければ、本書を書くこととともなかったと思います。

最近では、遊びの領域こそ、心にひびくデザインはとても大切だと思いますし、あるいは、脳神経科学の分野は、もっと遊びに対しても強い関心を持って研究を進めていく必要があるとも思っています。「遊び」は楽しいだけでなく「学び」や「仕事」の手段にもなりうるからです。

前章では、メンタルモデルについてお話ししました。

メンタルモデルとは、いわば脳にセットされたジグソーパズルのピースであり、外からの刺激に対して敏感に反応し、その反応の仕方はピースの型によって異なります。ある刺激がピースの型にうまくはまれば、脳内ではよりスムーズに反応し、人はストレスなく自然にふるまえるのがエレベーターのボタンデザインの例でしたね。これは、脳は顔に対しては特別な特性＝顔認識のメンタルモデルを持っているからであるということは説明しました。

しかし、メンタルモデルを上手に使う話は、すでに備わったメンタルモデルを利用するだけではとても勿体ないですね。脳は学習するための器官といっても過言ではありませんから、メンタルモデル自体を学習することも用意されています。それは勉強ができるとかではなく、例えば、どうやったら人とうまく付き合えるかなど、社会性といったような難しい精神活動も含まれます。

そうやって考えると、環境に埋め込まれたあるデザインがより健やかな心を育む、あるいは、そのデザインと脳との相互作用で新しいメンタルモデルを生み出す。そんなデザインも考えられるはずです。

他方、どんなに小さな子どもにも、共通の、あるいは、それぞれ固有のメンタルモデルが存在します。もちろん、子どもたちはそれを自覚することができません。しかし、この世界に生まれた瞬間（胎児の時から）から、子どもたちはたくさんの刺激に触れ、それらは身体と相互に作用し、脳内のメンタルモデルに影響を与えているのです。そう考えると、脳にとってできるだけ健やかな環境をデザインすること、そして、そのための遊びは大切です。

つまり、できるだけ多くの子どもたちのメンタルモデルにマッチするものを知る、さらには、より健やかなメンタルモデルを育むための遊びをデザインすることができれば、それだけ子どもたちの心は健やかに育つと考えられます。そんなデザインを考えることが、私たちの研究の目的のひとつになっています。

本章のタイトルには、こういった大切な目的に対する私たちの想いが込められています。

子どもとの縁のはじまり

子どもにとってのデザインを真剣に考えるまでには、少しの時間ときっかけが必要でした。そのことは後でまた詳しくお話しします。それでも、デザインを抜きにしたところで、子どもとの縁は早くに生まれました。はじまりはやはり、光トポグラフィの研究です。光トポグラフィの特長は、太陽光より弱い光を使うので体に害を与えることはありません。また、全く動いてはいけないというものでもないので、計測の自由度が高い点も他の脳機能計測技術とは異なる点です。その特長に気づいた発達科学の研究者たちが、光トポグラフィを脳の発達を観測する手段として

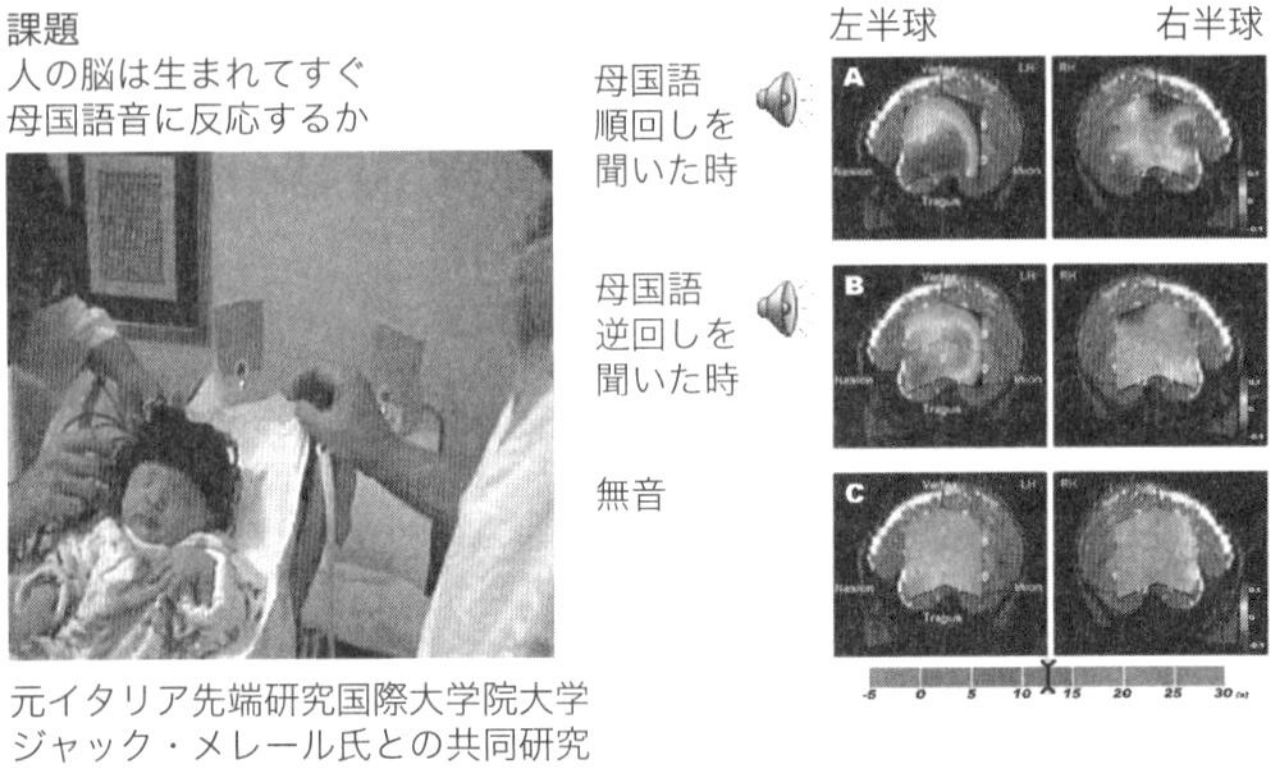

図17　新生児の言語機能計測（口絵カラー参照）

使いはじめました。当初、ただ装置を研究者に預けるというようなことはせず、その装置を担いでいって一緒に研究を開始しました。特に、子どもの頭は生まれてからサイズもどんどんと大きく育っていきます。そういった、変化の激しい脳を計測するために、どうやって光の検出器を配置するかもとても大事な課題で、かなり苦労した思い出があります。この分野では、当時東京女子医科大学の小西行郎氏（医師）や東京大学の多賀厳太郎氏と先駆的な共同研究を開始し様々なご指導をいただきました。

その後、別のグループと行った、国際的な研究成果である新生児の言語機能についての研究をご紹介します。私たちの研究が対象としていたのは特に言語に関する領域で、人の脳は生まれてすぐに母国語音を理解するかどうか、という問いの答えを見出すことが、研究の一番の課題となっていました。この研究の中心の研究者で、私たちの技術に興味を持ち、リードしてくれたのは、当時 Laboratoire de Sciences Cognitives et Psycholinguistique（認知科学と心理言語学研究所）※の所長であったジャック・メレール氏とそのお弟子さんであるマルセーラ・ペニャ氏でした。様々な準備をしたのち、１９９９年の晩夏に装置を担いで単身パリに飛び、共同研究を開始しました。その後、先に紹介した共同研究者の方々が、イタリアのトリエステにある The Scuola Internazionale Superiore di Studi Avanzati（先端研究国際大学院大学）に移られたので、イタリアで慎重に追試がなされました。

この時の研究の結果を図17に示しました。

写真にあるように、生後数日の新生児の頭に光トポグラフィを設置し、脳の血流の変化を測定します。測定するのは次の３つのパターンにおけるそれぞれの脳血流の状態です。最初のパターンは母国語の会話を順回しで聞かせた場合、二番目は、同じ母国語でも逆回しで聞かせた場合、そして三番目は無音の状態です。これら３つの違いを見ることで、生まれてすぐに言語に対して脳が反応するかどうかを観測したわけです。

図17を見ていただくと明らかなように、母国語を順回しで聞かせた場合には、新生児の脳でも

※この研究所は、フランスの最高峰の学術研究機関である社会科学高等研究所：École des hautes études en sciences sociales、フランス国立科学研究センター：Centre national de la recherche scientifique、パリ高等師範学校：École normale supérieure の複合研究所。

左半球の言語野といわれる部位で、最も活発に反応します。第1章で、脳の左半球に言語機能があることを紹介しましたが、生まれた直後でもすでに左半球が言語に対して反応することが確認できました。

一方、同じ母国語であっても逆回しの場合には、脳の活動はあまり大きくはありません。このことから私たちは、次のように見解を整理しました。

① 新生児であっても、母国語に対して成人と同じように脳の左半球が活動する。

② 逆回しで聞かせた母国語は、音としての周波数スペクトルは同じであるが、「言語」ではなく「ただの音」でしかない。比較すると、順回しで聞かせた場合の新生児の脳の反応には、そうした「ただの音」への反応との間に顕著な（専門的には統計的に有意な差がある）違いが認められる。

個々の言葉の意味を理解することはできているとは到底思えませんが、総合すると、生後数日でも母国語の言語は識別して脳が反応していると考えられます。そのことこそが、生まれたばかりの子どもであっても、母国語を母国語として、それ以外の「ただの音」とは明確に区別して認

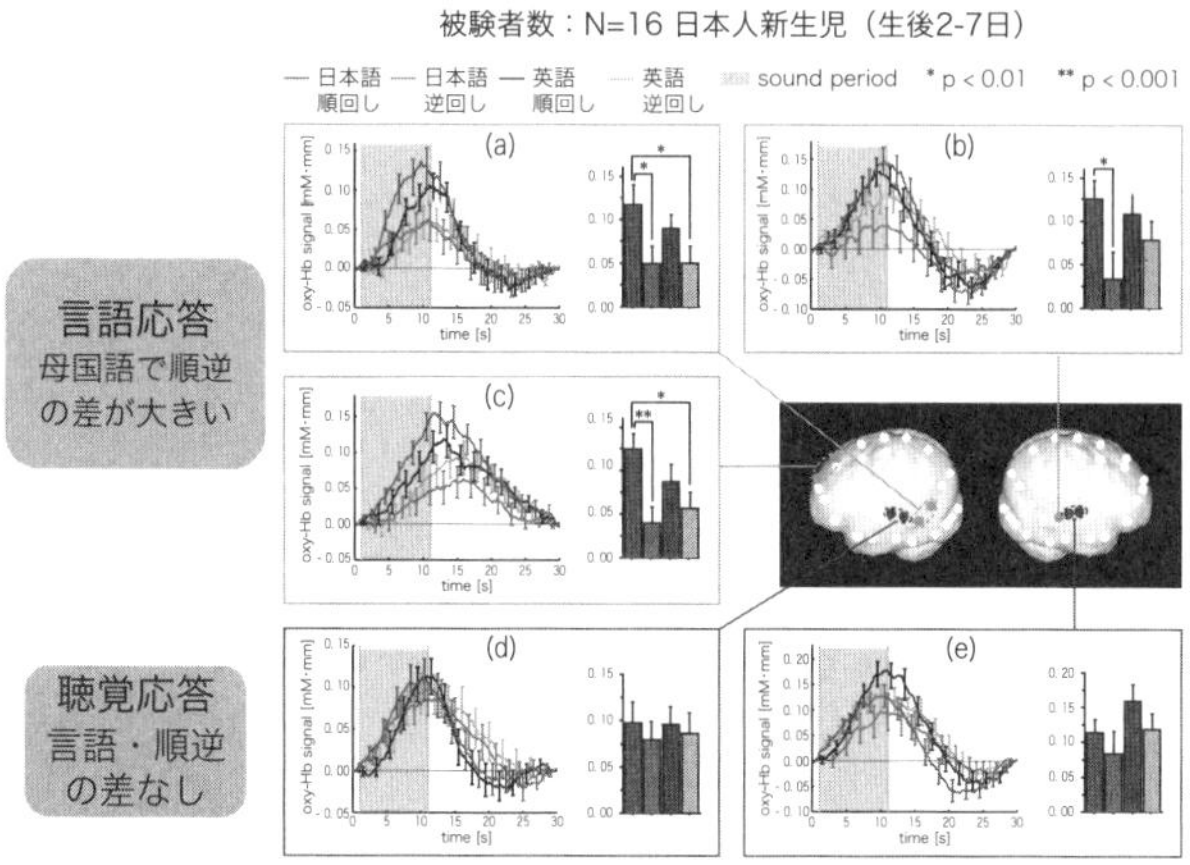

図18　新生児の母国語、外国語に対する反応（口絵カラー参照）

知していることの証左なのです。

この結果は、フランスとイタリアで２回実験を繰り返して同じ結果でしたが、今でも興味深い結果であると思います。

それでは、母国語ではなく外国語ではどうなるのでしょうか？　その結果を示したのが図18になります。この研究は、信州大学医学部の金井誠氏（医師）とともに進めていきました。

この研究では日本人の新生児に対して、日本語（母国語）と英語をそれぞれ順回し・逆回しで聞かせました。また、先の研究とは異なり、より空間的に細かく、そして、脳全体を覆うような柔らかいヘルメットを作って計測しました。その結果、さらに興味深い事実を確認することができました。英語の場合と比べて、母国語である日本語を聞かせた場合には、言語野において順回し・逆回し音に対する血流増加の差が大きいことが分かりました。ただ、細かく計測したせいか、左半球の言語野領域だけでなく右半球の対称の部位（左半球よりは狭い）と前頭前野でも強く日本語に反応する部位が見つかりました。一方、言語野に近接する聴覚野と考えられる部位では、大きな差が認められませんでした。では、英語の場合はどうかというと、これらのすべての部位で順回し・逆回しの言語音を聞いても、統計的な有意差は認められませんでした。

これらの結果が意味しているのは、新生児は明らかに母国語を単なる音としてではなく母国語として認識しているという事実です。別のいい方をすれば、新生児は生まれた時にすでに母国語の何かを学習しているということです。この研究では生後2日の新生児が一番若い新生児でしたので、学びの場は生後48時間以内、あるいは、母親の胎内です。おそらくは、最も頻度高く聞いている母の声を中心に、その他の音とは明らかに違うものとして母国語を習得していると考えられます。もし胎内で学習するとしたら、羊水に満たされた中で聞いているわけですから、我々が聞いているのと全く同じ環境ではありません。特に、3kHz以上の高い周波数は届きにくいことは分かっていますが、外界の声はかなり聞こえていることが知られています[34]。しかし、私たちが通常聞くことのない、母親や自分の内臓音や血流音もたくさん聞こえていることが分かっています。外に出てからも、声以外の音にあふれています。

ではなぜ、言語音だけを特別に学習できるのでしょうか。何かが生得的に備わっていないと、選択的に言語だけを学習することはできません。それは、人の声なのかもしれませんが、まだ謎として残っています。先ほど英語の場合は統計的な有意差は認められないと書きましたが、データをよく見ると順回しと逆回しでは順回しのほうが言語野と考えられる領域では血流が高くなっています。もう少しデータを増やしていくと、統計的な有意差が観測される可能性はありそうです。これが、もしかすると遺伝的要因による反応の違いかもしれませんが、そのことを明らかにするにはもう少し研究が必要です。ただ、学術的なことは横に置いておいて、言葉は親を通じて学ぶ。そう考えると、なんだかとても素敵な感じがします。

2. 遊びとデザインの融合

バンダイとの出会い

言語獲得のために、私たちは何を遺伝として受け取り、環境から何を学ぶのかという学術的な興味はつきないですが、子どもの脳機能が計測できることの応用についても考えていく必要がありました。当時は、脳神経科学の出口は医療応用のみと、狭い視野で出口を見つめていました。

私の発想では、具体的な応用の方向性としては、乳児の言語音に対する検査技術くらいでした。言語音に対して脳が反応できないのであれば、知的な発達にも滞りが出てしまうかもしれません。しかし、生後すぐ言語音の機能の障害が見つかっても、現時点では明確な介入技術がありません。したがって、超早期の検査は、より良い介入技術とペアで研究しないと難しいということで、臨床応用への展開は着手が難しい研究課題でした。

しかし、そんな子どもの脳神経科学研究応用に対する視野を広げてくれる決定的な出会いがありました。その出会いとは、前述した国内トップレベルのおもちゃメーカーであるバンダイ、その小沼氏との出会いです。デザインの話題からは少し離れるかもしれませんが、私が遊びのデザインについて深く考える大切なきっかけでしたので、詳しく紹介させていただきます。

2005年から2006年にかけて、彼は私が所属していた研究所を訪問してくださったのです。その時に最初にいただいたご要望は、

「頭の良くなるおもちゃを作ってください」

でした。

強烈な飛躍で、絶句しました。たしかに、脳の発達研究ができるようになって、多くのことが分かるようになってきましたし、それまで行動観察するしか術がなかったことに対して、脳のエビデンスが付加されるようになってきました。しかし、頭が良くなるおもちゃとは。そもそも頭

が良いとはどういうことかすら分かりません。実は過去に新生児の言語機能計測のご指導をいただいた、メレール氏も、実はおもちゃの重要性に気が付いていて、かつておもちゃメーカーに発達の知見を使ったおもちゃを作ることを提案したことがあったと話を聞いていました。しかし、おもちゃのデザインに発達科学の知見や実験を行って、その効果や安全性に実証的に取り組むメーカーはなかったと聞いていました。なぜなら、コストがかかるからです。

そのため、お話はお伺いしたものの、当初はお断りするつもりでした。

そして方向性は決まった

しかし、小沼氏のすごいところは、三顧の礼ではないですが、その後2年間にわたって議論を継続されたのです。それを簡単に整理したものが図19ですが、もちろん当時の議論はもっと複雑で、もっと漠然としていて、感情的な摩擦もなかったといえば嘘《うそ》になります。何度も書きますが、頭が良くなるおもちゃといわれても、科学者の立場から見れば、そもそも「頭が良い」とは何を意味しているのか、何が確認できれば「頭が良くなった」と見なせるのか、それらを科学的に実

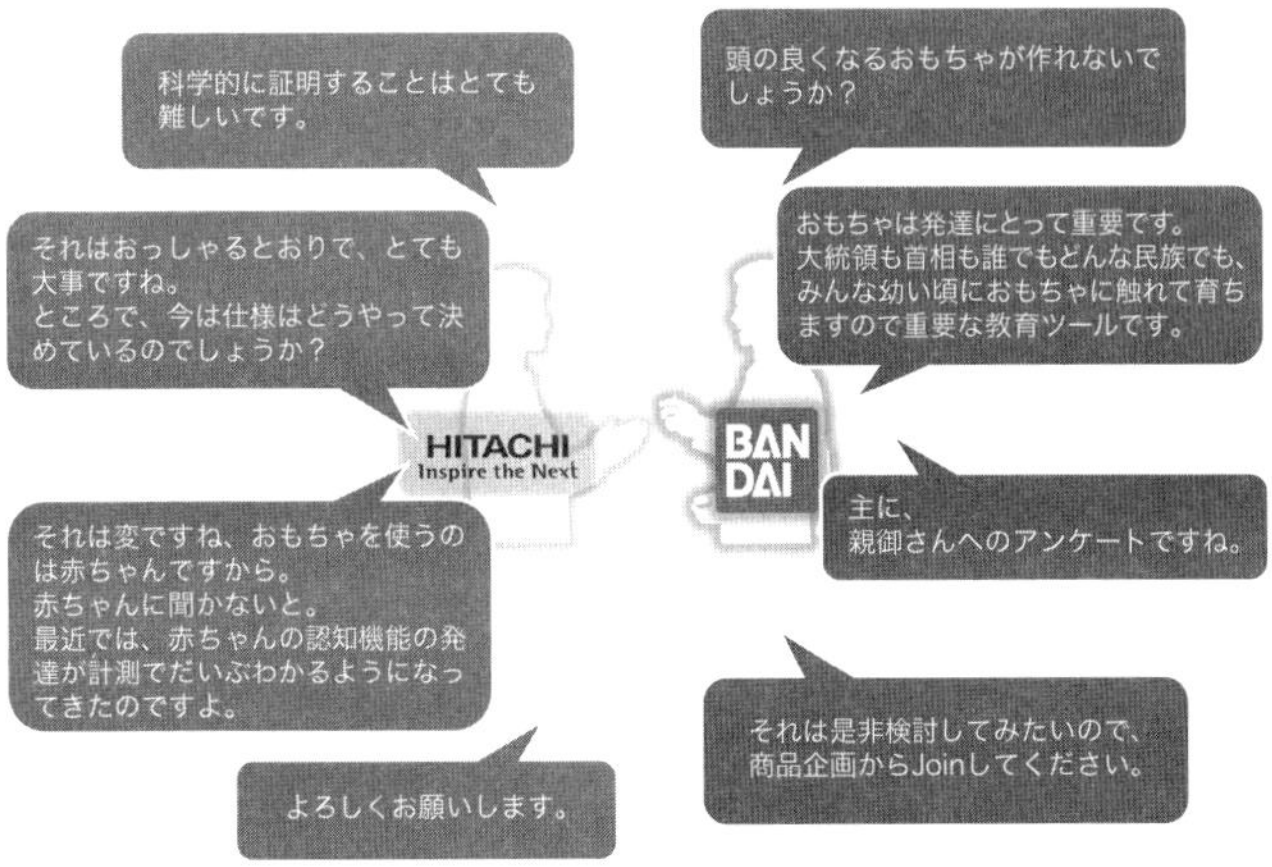
頭の良くなるおもちゃが作れないでしょうか？

科学的に証明することはとても難しいです。

おもちゃは発達にとって重要です。大統領も首相も誰でもどんな民族でも、みんな幼い頃におもちゃに触れて育ちますので重要な教育ツールです。

それはおっしゃるとおりで、とても大事ですね。ところで、今は仕様はどうやって決めているのでしょうか？

HITACHI Inspire the Next
BAN DAI
主に、親御さんへのアンケートですね。

それは変ですね、おもちゃを使うのは赤ちゃんですから。赤ちゃんに聞かないと。最近では、赤ちゃんの認知機能の発達が計測でだいぶわかるようになってきたのですよ。

それは是非検討してみたいので、商品企画からJoinしてください。

よろしくお願いします。

図19　ニーズと科学の接点から生まれた脳神経科学応用

証する、ないしは、証明することは、ほとんど不可能に近いように映るからです。たとえば「頭が良くなるか」の考えられる実証法は、一卵性双生児を被験者として、片方の赤ちゃんに一つだけ異なる環境刺激を与えて、何年後かにその刺激が良い影響を与えたかどうかを検証することですが、何年も経たないと、明確なことがいえないからです。したがって、さすがに実現は不可能に思えました。

それでも、私は最終的に、脳神経科学に基づいた遊びのデザインをしっかり研究することを決意しました。私たちにとって決定的だったのは、図19のプロットにもありますが、「大統領も首相もだれでもどんな民族でも、みんな幼い頃におもちゃに触れて育ちますので、重要な教育ツールです」という言葉でした。

なるほど、と私は思いました。反論ができません。おもちゃは、教育という社会的なソフトインフラであると定義されたのです。それが、真剣に考えるきっかけとなった言葉でした。ちょっと大げさないい方にはなりますが、もしもこの言葉がなかったら、私自身は遊びのデザインもそれを使ったビジネスモデルも真剣に考えなかったと思います。前書きに書いたように、本書を書くこともなかったでしょう。

そんな大まかな方向性は定まったものの、それだけで物事が進むはずはありません。ざっくりとしたイメージに具体的な形を与え、めざすべきゴールを十分に共有すること。ゴールだけではなく、プロセスについても双方が納得できるものにしていくこと。そのために私たちはしっかりと議論を重ねました。

子どもたちの大切な未来のために、まずは遊びという環境をしっかりと整えて、脳との間にできるだけ良質な作用を生み出すこと。つまり、良い心を育んでいくこと。それはやがて、社会にとっても大きな意味を持ちます。当たり前のことですが、社会の未来を担うのは子どもたちだからです。

バンダイも私たちも、そんな大切な未来のためにできるだけのことをしたいという点で想いが一致していました。しかし、子どもたちの脳に働きかけ、心をしっかりと育むためには、視点を大きく変える必要がありました。端的にいえば、大人目線から子ども目線への転換です。

これまでのおもちゃへの評価は、親御さんへのアンケートを中心に、すべて大人の視点で構成されていました。それを子どもの目線へと取り戻すこと。それができれば、子どもの脳にあるメンタルモデルにぴたりと合う遊びをデザインすることができる。そう私たちは考えました。そのためには子どもたちの脳の働きを知ることが一番です。

脳の働きを知るということは、どういうことでしょうか。先ほど紹介した光トポグラフィのような脳機能計測装置だけがあれば良いわけではありません。脳の働きを理解するための手続きである、「実験のデザイン」というものが非常に重要です。例えば、顕微鏡で何かを観察するためには、薄く切片を切り出しプレパラート上に載せ試料を作りますよね。難しいところでいうと、神経細胞がひとつひとつ独立したものだというニューロン説の確立に貢献したゴルジ染色という

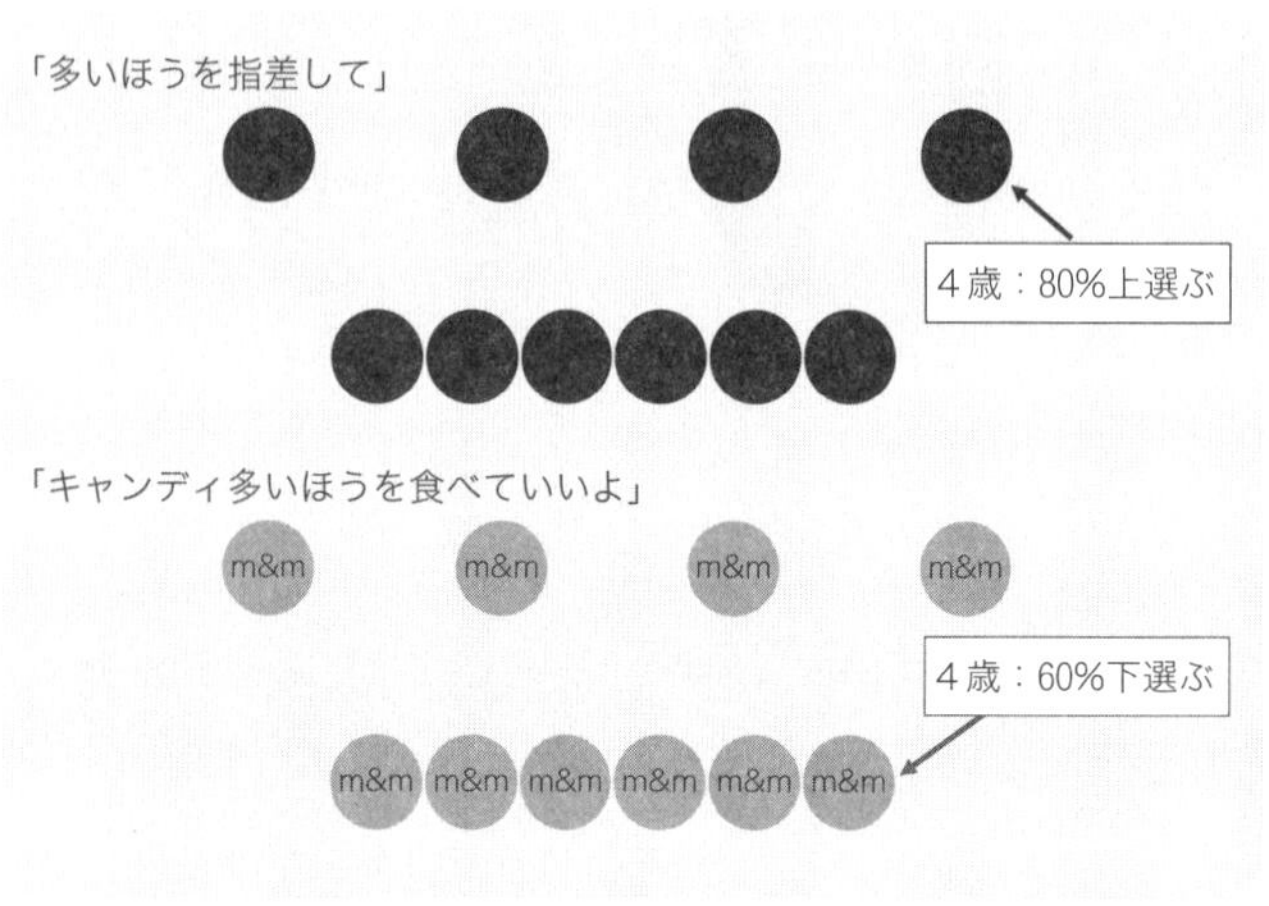
「多いほうを指差して」
4歳：80%上選ぶ
「キャンディ多いほうを食べていいよ」
m&m
4歳：60%下選ぶ

図20　美しい実験デザインの例

技術が得られたあとに、ようやく神経が分離していることが観測できるようになり、神経本来の姿が明らかになったのです。人間の脳の働きや心の働きも同じように、観察する手段である脳機能計測技術だけがあれば良いのではなく、そのための準備や手続き、つまり「実験のデザイン」が必要なのです。

　脳の計測技術が発展する前にも、脳の働きや心の働きを理解する学問は発展してきました。脳や心の働きを理解するための一般的な方法は、ある刺激を与えて、その反応を観察して、その途中の脳がどのように働くかを推定します。その、実験デザインの重要性を示す一例を図20に示します。[35] ここでは、特に脳機能計測装置を使うわけでもなく、子どもたちが何歳くらいで数の概念を手に入れるのかという課題に対しての実験です。

実は、この研究を発表したのは、新生児の言語機能計測で私と共同研究を進めたメレール氏です。この研究に先だって発表された研究の結果からは、４以上の数の概念については、４歳の子どもにはまだないと考えられていました。そう結論付けた実験は次のようなものです。まず、４歳の子どもの前にビー玉を２列に置きます。片方は、ビー玉の数は少ないものの、間隔を長くして全長を長くします。もう片方は、ビー玉の数は多いものの、間隔を短くして、全長を短くします。そして、子どもに対して「ビー玉の多いほうを指差して」と尋ねるのです。

そうすると、約80％の４歳児が上の列を指差します。そのため、４歳では数の概念はまだ成立していないと結論付けられました。この実験のミソは、量の概念である数と長さを混ぜて提示しても、区別して考えることが可能かどうかを確かめているところにあります。

ところが、彼は、その結論に疑問を持ったわけです。先の研究では、平たくいうと子どもたちが本気を出していなかったのではないかと。プレパラートの例でいうと、見たいもの（心）にうまく染色できていなかったのではないかということになります。心の場合は、染色というい回しより、鐘の打ち方を変えて響いた音を聞いて、その鐘の性質を知るというい方のほうが分かりやすいかもしれません。

そこで、彼は、ビー玉をキャンディー※に変え、全く同じ配置で実験を行いました。そして、「キャンディー多いほうを食べていいよ」と尋ねると、約60％の4歳児が下の列からキャンディーを取って食べました。結果、4歳でも数を数えることができるという、全く異なる結論を導き出したのです。この実験では、お菓子が好きという子どもの心の働きで染色し、実験に本気で臨む構えをつくったわけです。そうすると、全然違った答えを導き出すことができました。以前、彼と食事をしている時に、ビー玉ではなぜ8割の子どもが間違えたのか聞いてみたことがあります。彼は、「はっきりしたことは分からないが、多分子どもたちは、大人たちはなぜこんな当り前のことを聞くのだろうかと、混乱したのではないか」といっていました。

ところで、『買い物する脳』（マーティン・リンストローム著、早川書房）という本があります。その中では、「新商品の8割は、最初の3か月で失敗に終わる」と述べられています。彼らは、大半の商品が失敗するのは単にアンケートをもとに作られているからで、脳や行動を計測して脳のメカニズムを理解し、その結果からマーケティングするのが良いとしています。先にも書いたように、食品メーカーでも、多くの新商品企画はアンケートをもとに行われていますが、実はなかなか成功しないという話とも合致します。そのうえ、おもちゃの場合にはまだ文字の読めない子どもからは、アンケートはできないわけですから、どれだけ大量のアンケートを親である大人に実施したところで、なかなかうまくいかないのは当然でしょう。

さて、本題に戻りますが、これらのことを踏まえて、乳幼児向けのおもちゃ製作に向けて、私たちが一つだけ譲れないものがありました。それは、商品を企画するうえで、これまでの発達研究を基礎とした科学的知見を活用することは当然として、必要な場合には子どもを対象とした計測を実施し、定量的・客観的に評価するプロセスを新商品設計の中に必ず入れるということでした。

例えば、親御さんに「ブロックは創造性を育てると思いますか？」「1歳くらいだと、どのくらいの大きさのブロックを与えたいですか？」とか聞いても決して正解は出てきませんし、それは子どもたちにとって、決して良い教育ツールにもなりません。いくら親御さんが、子どものことを思って真剣に考えていたとしてもです。

　※英語candyはお菓子全般を指す。

企業がアンケートをもとに商品開発をするのはコストを考えてのことでしょう。基本的にはこれだけ意見が集まっているからこの商品は成功します、と内部で主張できれば開発は進められるので、普通は消費者の心を対象とした脳神経科学の実験を行うことはありません。

ところが、バンダイのチームは、客観的に評価するプロセスを新商品設計の中に組み込むことに同意してくれたのです。大人の言葉で商品企画する現状を超越し、子どもの行動や脳機能を定量的・客観的に評価するプロセスを商品企画に導入する、新たな方向性が定まった瞬間です。そして結果的にその後作られたこのおもちゃシリーズは、最初の３か月で失敗に終わらず、本書を書いている２０１９年で10年目を迎えることになりました。

当時、バンダイにとっては、乳幼児向けのおもちゃは新領域で、そもそも製品がありませんでしたが、今ではその市場では存在感を示しています。それどころか、他社が真似するようなことも起きてきているとのことでした。このような成果が出せたのも、小沼氏とともに、売り上げだけを目標にするのではなく、脳を健やかに育てていくことを、私たちのプロジェクトの第一義に置けたからだと思っています。

商品は時に大ブームを作りますが、時代を超えて長く生き残る商品はあまり多くありません。今回携わった商品を、10年以上も継続させ成長させているバンダイの皆様には大変敬意を払っています。

3．脳を育てる「ごっこ遊び」

心を育む環境のために

具体的な話へと入っていく前に、脳に関する知識について少し補足しておきます。ご存じの方も多いと拝察しますが、脳の神経細胞をニューロンと呼びます。さきほど、紹介したように、ゴルジ染色ができるようになって、脳の神経細胞は一つ一つ独立していることが顕微鏡下で確認されました。このニューロンとニューロンをつなぎ、神経情報を伝える側と受け取る側とが結びついた構造のことを、一般にシナプスと呼んでいます。

したがって、シナプスの数が多いと、それだけ脳内で複雑に情報をやり取りしていることになります。ただ、数が多いと良いというわけでもなく、発達していく中で、数を増やした後は環境に合わせて学習したことを遂行できるように数を減らすということが知られています。難しい言葉でいうと、最適化するということです。最適化するというのは、周りの環境に対して適切に処理できるように神経細胞の回路を組み替えると考えれば良いでしょう。そのために、生まれてすぐは大きくシナプスを増やしていって、育っていくうちに、必要なところは強い結合に、不必要な結合は消すということが行われます。そして出来上がった回路が、本書でいうメンタルモデルになるわけです。メンタルモデルというと、形のない概念のようにも聞こえますが、神経回路という物質的裏付けがあるわけです。

シナプスの数を数えることは、亡くなったのちに解剖して調べるしかありません。そのため、あまり研究はたくさんありませんが、図21は、特に視覚野と言語野にフォーカスして、シナプスの数が変化していく様子を過去の研究結果から抜き出して図示しました[36]。脳は胎児期から一生にわたって発達していくので、横軸は対数で表現してあります。また、縦軸は研究によってシナプス密度であったり、シナプス数であったりしているので、それぞれピークの値で正規化（比較し

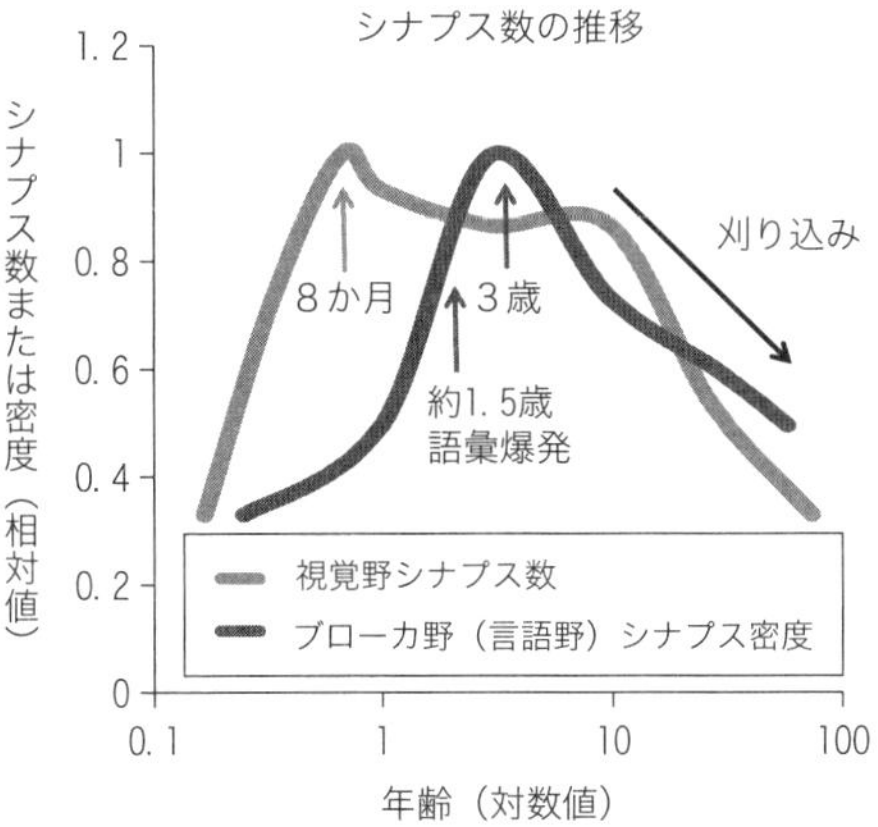

死後採取した脳組織を染色し
顕微鏡下でカウンティング
または密度を計測
参考資料〔36〕の数値をもとに作図

図21　脳を育む環境

やすくするために割り算して比率として表すこと）してプロットしてあります。

図を見ても分かるように、視覚野も言語野も生まれてからシナプスが飛躍的に増加します。しかし、脳にはいくつもの異なる認知機能が備わっていて、それぞれ成長する時期が異なることは、読者の方々も体験的に理解されていると思います。そして、前章「技術談議」で紹介したように、後頭にある視覚野と側頭にある言語の機能を担う場所で、シナプスが増加してピークを迎える時期にはこの図のように違いがあることが分かっています。

視覚野の場合、生後8か月を迎える時期をめざして、シナプスの数が飛躍的に増加しています。

この時期には、細かい縞模様も見えるようになってくるので、時期的な合致があります。言語野、厳密にいうと第1章でも登場したブローカ野に関しては、視覚野とは少し時期がずれていて1歳半から3歳にかけてシナプス密度が急速に高くなっています。日本語の場合には、語彙爆発が平均20・2か月齢で始まります。語彙爆発が始まると、前後1か月あたりの平均獲得語彙数が5・4語だったものが25・0語に増加することが調べられています[37]。記憶できる語彙の爆発時期と、言語野のシナプス数という神経構造の変化の時期が一致しているのは偶然とは思えません。すべてを、シナプス数で説明することはできませんが、様々な認知機能の発達する時期はそれぞれ異なり、また、それらの脳機能を担う神経回路の変化も同じように異なる時期に変化していることは、生物学的に大変興味深いことです。脳の機能発達や神経回路の変化は、経験的事実ではなく、脳の成長プロセスと深く結びついた科学的事実です。そして、視覚と言語のように、それぞれの脳部位やそれらが担う認知機能は、それぞれ発達の時期が異なることが、科学的事実から明らかになってきています。

それでは、遊びとデザインというつながりにおいて、このように確かな科学的根拠を持つ事実が示唆しているのは、いったいどのようなことでしょうか？

それは、脳の発達時期を踏まえたデザインが必要だということです。視覚野の場合、８か月にシナプス数がピークを迎える子どものおもちゃは、視覚野の成長を育むことに注意を払うべきでしょう。この時期にいくら言葉を覚えさせようと思っても、大人が望むような効果は期待できないでしょう。一方、２歳児が遊ぶおもちゃは、言語の発達を支えるものが適切であるといえるでしょう。これらの違いを踏まえたデザインは、生物学的な発達の時期と重なりますから、子どもの脳を育む方向に作用すると考えられます。したがって、脳の発達過程や認知機能が成長する時期を踏まえたおもちゃのデザインこそが、子どもの心によりひびく、脳を育む遊びのデザインだということです。

最終的には、子どもたちの適切な時期に、ちょっと頑張れば手が届く、そんな刺激を与えてくれるおもちゃ。そういったものが、脳を育み、ひいては、心を育てるおもちゃであると定義し、そのコンセプトのもと実際に商品開発に協力しました。

そしてこの概念は、子どもたちだけでなく、一生を通じて成立するコンセプトであり脳の機能の発達から考えると普遍的だといえます。一生を通じての脳の発達過程は、まだまだ分かっていないことがたくさんあります。まさに、バンダイとのおもちゃ作りは脳神経科学の研究者と事業家が協働して、人間あるいは心を中心とした社会的環境を作るための最初の社会実装テーマとしてふさわしい、新たな挑戦になりました。

脳発達を考慮した新しい開発プロセス

「ベビラボ」「ブロックラボ」は、バンダイと多くの大学と企業の脳神経科学の研究者との協働で生み出した、新しい開発プロセスの知育おもちゃの名前です。遊びの種類や、月齢・年齢の別に、多くの商品を子どもたちに提供しています。最近、子育てを経験された方は、おもちゃ売り場で見られた方も多いと思うので、すぐにイメージがわくのではないでしょうか。

まず、私たちは「ベビラボ」「ブロックラボ」商品を開発していく過程で、その開発プロセスを見直すことにしました。脳を育むという概念を製品で実現するために、厳格な実証と評価プロセスが必要であると考えたからです。そこで、私たちは、ブレイン・サイエンスマークというソリューション協創のスキームを構築しました。そのスキームを図22に示します。

スキームの目的
1. 心的価値を科学的に検証し、
2. 検証に基づき「心への効果」を製品化して提供する

a)

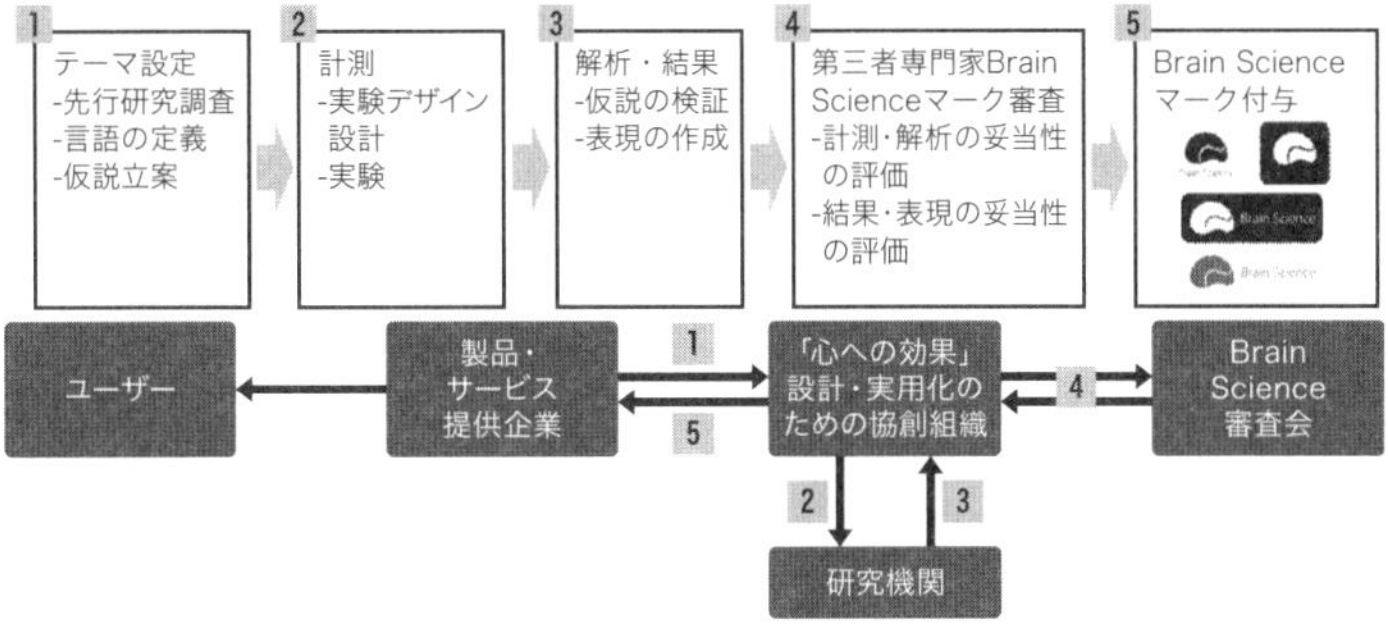

b)

	計測方法	計測できる脳のはたらき
視覚	選好注視法（好きな方を見る）	赤ちゃんが好んで見るか
	選好注視法 ＋ 馴化法 （同じ画像に見飽きたころ 少し違う画像を見せる）	赤ちゃんが画像を区別できるか
聴覚	選好振り向き法 （好きな方に顔を向ける）	赤ちゃんが音や声を好んで 聞いているか
	選好振り向き法 or 光トポグラフィ法 ＋ 馴化（じゅんか）法 （同じ音声に聞き飽きたころ 少し違う音や声を聞かせる）	赤ちゃんが音や声を区別して 聞いているかまた、 その際脳が活動しているか
顔認知	光トポグラフィ法	顔画像に対する親しみの度合い
社会性	誤信念課題	人の考えが理解できる

図22　心的価値を検証する産業化エコシステムと乳幼児の脳のはたらきを計測するために用いた代表的な計測方法

これまでの経験から、製品開発をする際によく耳にするのは、「××の快適性」「××のストレスを計ってほしい」「××の好き嫌いを計ってほしい」などの要望が多いです。たしかにそういった願望にお答えしたいとは考えていますが、実際にはなかなか難しいものがあります。なぜなら、快と不快、ストレス、好き嫌いというのは、心の現象としてはあると思いますが、科学的な言葉で定義しようとすると極めて難しい現象だからです。

例えば、ストレスという言葉の意味は何かと聞いてもきちんと答えられる人はあまりいません。良いストレスというのもあるので、そのことをいうと、大抵の方が自分自身の問題提起があやふやであることに気が付きます。一般的に使っている言葉は、たいてい広い意味を持っていて、複数の学術的定義を包含しています。実験的にある心の状態を計測しようとすると、より小さく厳密に定義された言葉に変換してからでないと実験することができません。このブレイン・サイエンスマークの認証プロセスの最初に実施するのは、製品に実装したい「心への効果」を検証可能な言葉に変換する作業になります。

では、実例としておもちゃづくりで行われた作業を解きほぐしてご説明します。おもちゃの商品企画の段階で、「心への効果」として「思いやりという心を育む」おもちゃを作りたいという要望が出ました。しかし、思いやりの心というのは何を指すのか、あまりに多様な意味を含むので直接的にそれを対象とすることはできません。

そこで、研究者と事業家の間で議論が発生するのですが、過去の論文を調べ、そもそも思いやりの心とは、他人の視点で物事を考えられることが大切な要素だろうという結論になりました。他人の視点で物事を考えられる能力、難しくいうと他者信念を理解する能力という表現ですが、この課題設定であれば発達心理学の実験デザインを用いることで、計測することができるからです。そうすると、問題設定した人も、思いやりの心が育まれる最初の段階では、他人の考えが分からないと始まらないということに納得されます。そこまできたら、次は、何をしたら他人の視点で物事を考える能力が伸びるのか。「心への効果」に対する仮説を立てて実際に実験をしてみましょうということになります（図22－ａ1テーマ設定）。

実は、研究者と事業家のすれ違いは、この最初の言語のすれ違いで平行線をたどり、だいたいうまくいきません。しかし今回のケースでは、膨大なコミュニケーションと双方の努力で奇跡的につながりました。私自身というよりも、周りの方の情熱が素晴らしかったからでしょう。

さて、仮説ができると、あとは比較的流れるように進められます。仮説ができたということは、その仮説を検証する実験のデザインを作って実験する、研究の玄人が実行するフェーズに移るからです。そして、その計測のデザインに基づいて、その時に対象としている年齢層の乳幼児に集まってもらって計測を行います（図22－a②計測）。

ここで、図22－bに私たちが実際に行った乳幼児の視覚・聴覚・顔認知・社会性の認知能力を調べるために使用した、代表的な計測方法をお示しします。言葉が理解できない乳幼児の心の状態を計測する方法としては、行動計測やすでに紹介した光トポグラフィのような脳機能計測法しかありません。例えば、表にある、選好注視法や選好振り向き法は行動計測法です。これらは、興味のあるほうに目を向ける、あるいは、顔を向ける、という自然な行為をビデオで撮影して解析します。簡単なようですが、かなり大変な作業で、少なくとも2人の解析者がビデオを見ながら、乳幼児の視線や顔の向きと時間を分析して統計的に処理します。3歳くらいになると、言葉を理解しはじめますので、先ほどの数の概念の例や表にあるような誤信念課題といった言葉を使って、美しくデザインされた実験を行うことができるようになります。

耳慣れない特殊な計測の手続きとして、馴化《じゅんか》法という面白い方法があるので、ここで紹介しておきます。馴化というのは、その名のとおり馴れるという意味です。すなわち、ある同じ映像でも音でもいいのですが、なんらかの感覚的な刺激を何回も繰り返して提示して馴れさせるというプロセスを含む計測の手続きです。人は、何回も繰り返して同じ感覚的刺激を提示されると飽きてきます。そして、飽きた頃に、少し変えた感覚的刺激を与えます。この時に、脳が反応する、あるいは、視線を向けるなどした場合には、「乳幼児はその少し変えた感覚的刺激が、何回も繰り返された感覚的刺激とは別のものと認識している」と結論付けられます。

第1章に、同じ色を見続けるとその色が分からなくなる現象を紹介しました。この方法では、脳が時間や空間的に変化しない刺激には反応しなくなり、変化には敏感である特徴を使っています。すなわち、計測の手続きに「心にひびくデザイン」を取り込んでいるのです。脳が変化にしか反応しないというのは、生得的に備わっているまさに基本的なメンタルモデルです。なんとなく、乳幼児の心を理解するための計測方法は分かっていただけたのではないでしょうか。

ここから先は、特殊な話はあまりないので、それぞれのプロセスを簡単に説明します。計測が終わると解析に移ります。解析では、まず仮説が成立するかどうかを統計的に評価します。そして、その結果から、製品のパッケージに掲載する、一般の方でも理解できる言葉に変換します（図22－ａ３解析・結果）。

この時とても悩んだのは、「一般の方でも理解できる言葉」でした。まず専門家の話は一般の方にはよく理解できません。乳幼児の発達にかかわる研究結果も同様で、科学者の言葉でパッケージに説明したらどうなるでしょう。全く理解されず、読まれることもないでしょう。かといって、あまりに一般向けの言葉使いにすると、研究の結果を逸脱してしまいます。そこで、私たちはブレイン・サイエンス審査会という仕組みを作りました。すなわち、一般の方に向けて作成した表現が、専門家から見てもおかしくないかを審査してもらう第三者を設ける仕組みです。発達科学においても、あらゆる年齢・認知機能の専門家はいません。そこで、実験の審査員は研究の内容に応じて担当を変える動的な仕組みにしました。「心に対する効果や安全性」に対するアセスメントというのは、これまで一般企業の品質管理の仕組みとしてはなかったからです（図22－a④第三者ブレイン・サイエンスマーク審査会）。

そして最後に、関係者全員が研究結果とその製品の心に対する効果や安全性について納得した段階で、その製品やサービスにブレイン・サイエンスマークを付与します（図22－a⑤ブレイン・サイエンスマーク付与）。

『独創はひらめかない──「素人発想、玄人実行」の法則』（金出武雄著、日本経済新聞社）という名著があります。私がいうのはおこがましいですが、「素人発想　玄人実行」を具現化することができた新しいスキームでした。すなわち、心の効果の設計の素人が、「脳神経科学で頭が良くなるおもちゃを作ろう」と考え、玄人が「脳神経科学の手法と知識を取り入れて発達に沿って脳そして心を育む方法論」を開発したのです。こういったスキームは、製品計画-研究-製品化のスパイラルループをよく回せるので、ほかの分野でも適用していくことは可能ですし、今後の多くの産業分野で、必要となってくるでしょう。特に最終章で述べますが、技術や文明が高度化すると、そこから生み出される製品やサービスは、どうしてもより深く心に踏み込んでいくことになるからです。

初期段階の社会性を育む

ここで、実感を持っていただくために、先ほど紹介した「思いやりの心」を育むおもちゃの開発にはどういう研究が行われたかを紹介します。過去の発達研究を調べていくと、「他人の視点で考える能力」の有無はある課題を用いることで計測できることが分かりました（図23参照）。

そして、私たちが立てた仮説は、「ごっこあそび」が「他人の視点で考える能力」を育むという仮説です。

そこで、まずブロックハウスの中に有名なアンパンマンのキャラクターが複数入っているものを作りました。そして、子どもたちがそれぞれの役割を演じ、またそれらを入れ替えながら、互いの役割を尊重しつつ成長していくための遊びをデザインしようということになりました。自分たちが、そのキャラクターになって遊ぶわけですから、他人の視点に立つことができるように思えます。しかし、実験しないと本当に効果があるかどうかは分かりませんので、私たちの開発プロセスでは実験を行います。

その開発過程における実験では、次の3つの実験パターンを用意しました。

条件①　キャラクターの組み換えや役割の入れ替えができない
条件②　組み換えや入れ替えはできるがキャラクターには顔が印刷されていない
条件③　組み換えや入れ替えが可能でキャラクターの顔の印刷もされている

■ごっこ遊びの実験条件

条件①組み換えができない
条件②組み換え可/顔の印刷がない
条件③組み換え可/顔の印刷が有

©やなせたかし／フレーベル館・TMS・NTV

■実験結果

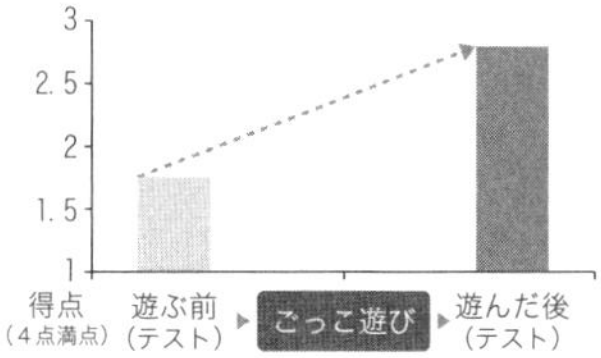

「心の理論のスコア」※の向上
組み換えができないブロック（①）や組み換えができても顔の印刷がないブロック（②）を用いたごっこ遊びより、組み換えや役割が変えられて顔が印刷されているブロック（③）で遊ぶと顕著に「心の理論のスコア」が上がる。

※**「心の理論のスコア」**：心の理論とは、信念や考えなど他者の心を類推し理解する能力であり、４歳くらいから芽生え始める。そのため、社会性の初期段階の発達と考えられており、言い換えると思いやりの心を育む第一歩といえる。この能力は、誤信念課題といわれる課題を実施しスコア化することができる。誤信念課題としては、サリー・アン課題やスマーティー課題が代表的である。

図23　科学的根拠に基づいて
思いやりの心そして社会性を育む

実験に参加してもらったのは43名の４歳児です。

先行研究から、この時期はまさに子どもたちの心に、他者の視点で考える力が育ちはじめる時期であることが確認されていました。３歳児では、まだそこまでの充分な成長が見られません。こうした「ごっこ遊び」を通じて他者の視点で考えられるようになり、思いやりの心を育むという目的にもっとも適した年齢が４歳で、こういった遊びを推奨する年齢にもなるわけです。

そして実験の結果は、図23に示したとおり、驚くほど明らかな結果を示しました。

条件①、②と③の比較から、遊びの前後における思いやりの心の成長には大きな差、専門的にいうと統計的な有意差が生まれました。そしていうまでもなく、条件③のおもちゃで遊んだ場合にもっとも高い効果が発揮されていることも、統計的に明らかになりました。

このような「ごっこ遊び」が子どもの脳をしっかりと育てるためには、あるいは、心を育む「ごっこ遊び」のためには、キャラクターを認識できることが大切であることを、この実験結果は物語っています。ここで少しおもしろいのは「顔」というキーワードがまた出てくるところですね。ところで、近年仮想空間中のアバターを使って自分とは違う人物になりきることで、心身

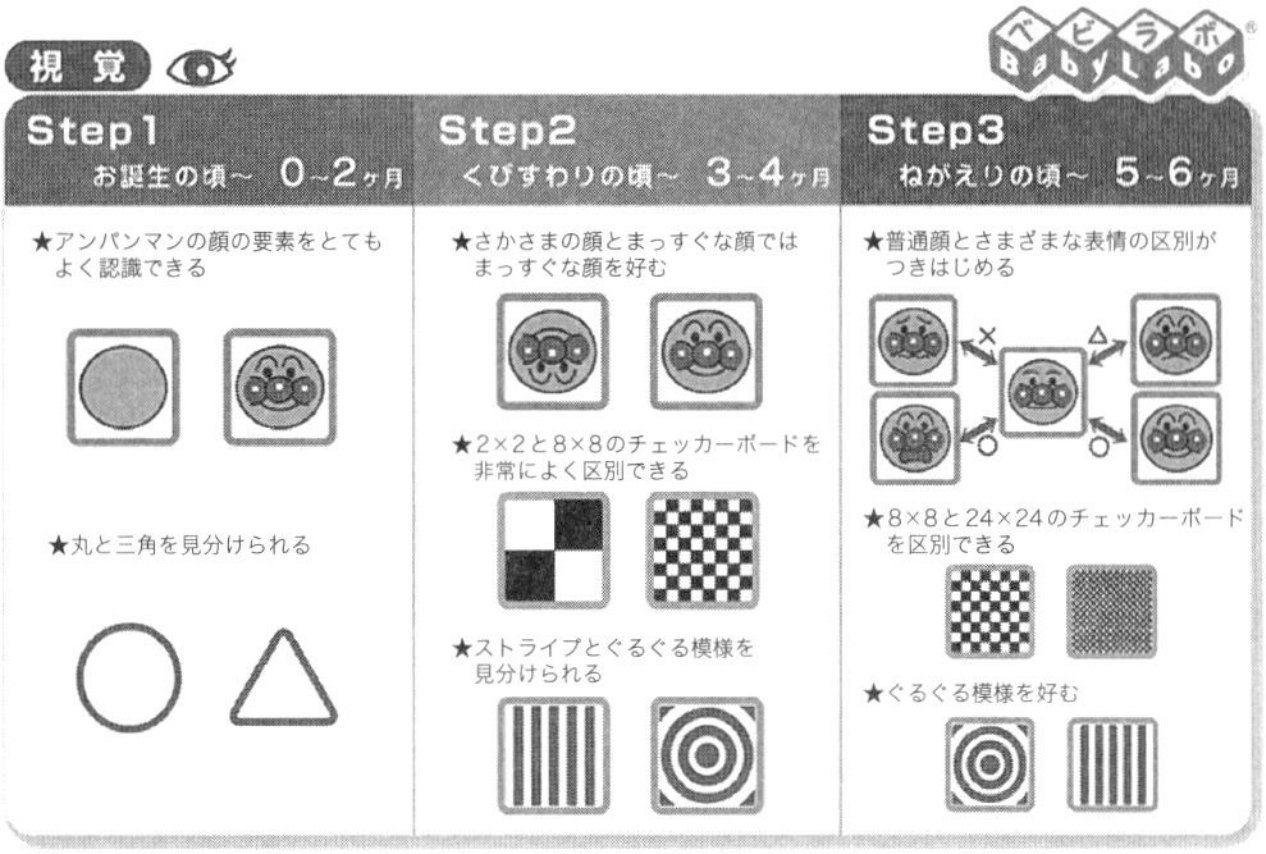

※表情認知は検証用の普通顔とキャラクター設定上のさまざまな表情を比較した実験をおこなっております。
検証用の普通顔は商品には含まれておりません。

図24　科学的根拠に基づいて視覚機能を育む
（商品パッケージより引用）

の能力が変容するプロテウス効果※という現象が報告されています。このおもちゃは、そのプロテウス効果を適切な時期に適用した事例ともいえます。したがって、仮想空間を使った教育という考え方にも大きく拡がる可能性が出てきました。

この思いやりの心を育む研究は、脳を育むおもちゃづくりのプロジェクトが始まって数年程度経ってから実施したものです。本書でこの研究結果を最初に示した理由は、「他人の視点で考えることができる能力が育まれる」というのは、「心にひびく遊びのデザイン」であるというコンセプトが伝わりやすいと考えたからです。

※プロテウス効果は、変身できるギリシャ神話の海神にちなんで2007年にスタンフォード大学から提唱された。

実際には、このバンダイとのおもちゃプロジェクトでは、新生児に対しての視覚機能・聴覚機能の発達を明らかにすることから始まりました。生まれてすぐからの視覚機能の発達を調査した研究結果に基づく、新生児向けおもちゃの取り扱い説明書です。各月齢において、視覚機能が発達し、様々な細かな図形がだんだんと区別できるようになっていく様子が示されています。また、月齢によって嗜好が変化していく様子も興味深いですね（図24）。

こういった説明図を、多くの方がおもちゃ売り場で目にしたことがあるのではないでしょうか。こうした分かりやすい説明で研究した結果を示すことで、親御さんたちは安心して子どもの遊びをサポートすることができるようになります。このような科学的に検証された遊びのデザインが、子どもの心にひびく遊びのデザインであり、同時に、子育てを行う親御さんの心にもひびくものであることは疑いようがありません。子どもの獲得していく認知機能については、学校でも習わないので、研究結果を分かりやすく説明することもそれほど簡単なことではありません。一般的には、知育という言葉で片づけてしまいますが、脳の様々な認知機能が発達する時期は月齢によって異なります。したがって、ある認知機能が伸びる時期にその認知機能の成長に資する「遊び」を提供することが、本当の知育なのです。

このような製品やサービスをひとつでも多く世の中に提供していくこと。その点でバンダイと私たちの方向性はしっかりと一致していました。次項では、こうした想いや研究の成果がどのような商品となって具現化していったのか、そうした点についても詳しく触れていきたいと思います。

4. 心へ配慮した新しい時代の製品開発の方法論

「心への効果」のアセスメント

分かりやすいように、先に具体的なプロセスや結果を示しましたが、なぜこういう製品開発・設計法に行き着いたのか、概念的な側面から説明しておかなければなりません。私たちは、当時脳神経科学の産業への適用の仕方について真剣に悩んでいました。一つの方向性は、光トポグラフィのような脳機能計測装置を脳疾患の診断装置として使っていく方向性です。脳の疾患、特に社会的活動ができなくなるような高次脳機能障害（発達障害・精神疾患・認知症など）の場合、その社会的損失は非常に大きなものになります。なぜなら、社会的活動ができないと、本人が社会参加できなくなるだけでなく、その家族も活動が制約されてしまうからです。

WHOなど世界的な機関が実施してきた研究[38][39][40]から概算するとその経済損失はGDPの5％くらいになるので、とても大きな社会課題です[41]。この社会課題については、もちろん積極的に研究は進められています。しかし、ちょっとしたことを研究するにしても臨床的な研究は莫大な費用と時間がかかってしまうので、今後も地道に成果を積み上げていく必要があります。ただ、こういった領域でもみなさんが思っているよりも脳機能計測など活用して、たとえば薬などがどのように人の脳に作用するのかを生物学的に捉えるといったことはあまり行われていません。一般的には症状の改善を指標としています。

心と薬物の関係性は脳から考えると意外と大切なので、少しだけスペースを割いてお話をしたいと思います。私は、脳が化学的な情報処理装置ということを学んだ時に、化学物質の脳への影響ということが非常に気になりました。脳は脳自身の痛みを感じることができないくらい自身に対しては無防備なので、脳自身にとっての良し悪しのような、より繊細なことは当然感知することができません。もちろん、血液脳関門といった化学的な防御機構は準備されています。しかし、脳に作用する化学物質はこの関門を容易に通過してしまうので、脳の働きに影響を与えます。そこで、脳に直接作用する化学物質であるお酒を飲んだ時の脳の反応を光トポグラフィを使って計測することで、化学物質の脳への影響を可視化することができるのかを研究することにしました。すると、同じ分量のお酒を摂取しても、アルコールの分解にかかわる遺伝子型によって脳の反応が異なることがわかりました。この研究で、脳関門を通過する化学物質の脳への影響を可視化できることが分かったのです[42]。

その後、この課題に共感していただいた先進的な研究者である門田行史氏（医師）や檀一平太氏が、注意欠陥・多動症（ＡＤＨＤ）の方々を対象として、投薬による脳活動の変化についての臨床研究をスタートされました[43][44][45]。現在の医療現場では、こういった向精神薬の効果については、症状の変化に頼るしかありません。そのため、現実には、しばらく薬を摂取したあとに薬の効果を見極めています。例えば、ガンに対する薬効は、ＤＮＡなどを調べて個人に最適な投薬を行うようになりつつあります。しかし、生活や人生の質という観点では、ガン以上に社会的影響が大きい精神的な障害への対処法については、まだまだ個に最適化した治療は発展途上にあるといえます。最新のＡＤＨＤの臨床研究では、投薬に対する脳の反応を科学的に分析することで、疾患の診断にも使える可能性が示されています。[46][47]ただ、脳が化学的な計算機という、脳から考える立場に立つと、それは意外なことではなく当然なことです。様々な社会的制約を除いて原点に立ち返ると、心にひびくデザインができてきそうです。

また、うつ病に使用される向精神薬は大量に用いられているため、米国では生活や産業排水が支配的な河川に生息する魚の筋肉、脳、そして肝臓からそれらが検出されています。向精神薬が生態系に対してどのような影響を及ぼすかまだ分かりませんが、動物の神経細胞そのものは大差ないので、普通に考えるとあまり良い方向の予想はできません。今後、下水処理の在り方を問うべきなのか、使用法を問うべきなのかは議論の分かれるところですが、かなり重要な観点でしょう。[48]私たちは今目の前に見える危機には敏感ですが、緩慢なる変化や自覚できない危機についてては、このように研究結果として示されても鈍感です。１０００年先の人類の課題として考える時、神経に直接作用する化学物質については、人類にとってどうするべきなのかを真摯に考える必要がありそうです。自然環境との共生は、心にひびくデザインにとって根本に据える課題であり、そこを忘れると本末転倒になってしまいます。

話をもとに戻します。精神の疾患を治療することとは異なるもう一つの方向性は、疾患にならないないようにする方法を見つけだして、より活き活きとした社会を作り上げることです。これは、健康なうちに病気になる確率を下げるということです。車の例は適切ではないかもしれませんが、壊れてから治すのではなく、日本車のように壊れにくくすることが、結果的に質を維持することができ、その技術を持つ会社や社会も信頼され発展できるという考え方です。国家の信頼と発展も同様で、人が病気にならないように予防する技術を持つことが、短視眼的ではない繁栄戦略でしょう。当たり前ですが、実現するにはかなり難しいことで、この章で紹介したように「頭の良くなるおもちゃを作ってください」というのと同じ課題にぶつかります。

最近の研究では、発症率の高い自閉症、統合失調症、アルツハイマー病については、それぞれの疾患ごとに生まれてから亡くなるまでのシナプス数が、健常者と違って、年齢に応じて特徴あるカーブを描くことが報告されています。[49] シナプスは、育っていく過程の環境影響と、もともと備わっている遺伝子影響でできていくものですから、時間をかけてそれらの影響が相互作用して精神疾患に至ると考えられるということです。

そういうことであれば、とにかく早い時期に適切な環境に囲まれた人生を作ってあげることに注力するほうが、重症化してから治すことよりも正論です。極端なことをいうと、認知症予防のために子どものうちに手を打つということですが、一番手っ取り早く実行できる方法は、学校教育に組み込み自分で適切な環境を選択していけるように啓発することでしょう。近未来においては、疾患にならないようにするには、予防的遺伝子改変と環境最適化が解でしょうから、早期発見の方法・適切な介入方法の開発がとても重要になってきます。

ただ、脳疾患の遺伝子改変は治療のためには徐々に始まっていますが、予防のために適用するのは、倫理的にも安全性からもまだ時間がかかるように思います。そもそも、私たちの気持ちがまだついていけません。一方で、環境因子を最適化することは、現実的かつ継続的にできることですし、遺伝子改変が受容されても環境因子の影響はなくなりませんので、私たちはまずそれから着手することを選択しました。

前章でも書いたように、この試みを始める以前に、製品開発の新しい方法論として脳神経科学を応用する可能性について多くの議論をしてきました。図11で説明したように、脳は三層構造になっていて内側から外側へ脳が進化してきました。そう考えると、進化の最終段階である、もっとも外側の層の神経がより良く育まれることが、人としてのQoL（Quality of Life）を高めることであると定義できると考えています。そして、一番外側にある大脳皮質のメンタルモデルに合致するということを一つのテーマにしたわけです。

誤解があるといけませんので、脳の内部にある一層・二層目のことを考えなくても良いというわけではありません。第1章の図11で示したように、一層目は生命の維持に、二層目は主に本能行動、情動行動、記憶形成などに深く関わっています。そして、第三層目は、五感、言語、思考、意思決定などに関わっています。モノづくりやサービスの在り方は、一昔前までは、一層目・二層目を中心に考えられてきたのですが、さらに新しい価値として脳の三層目までも考えなくてはいけなくなってきたということです。私たちの脳は、道具から得られる情報で進化してきたと考えると、道具に要求する効果も進化とともに高次化していってしまうということです。そういった観点では、脳は脳の成長に対して極めて貪欲な臓器なのかもしれません。

スタンダードとなったラボシリーズ

先に示した実験の成果は、ひとつには「ブロックラボ」という商品の形をとりました。図25が示しているように、ブロック遊びでは、実験結果から年齢に応じた達成レベルが明確になってい

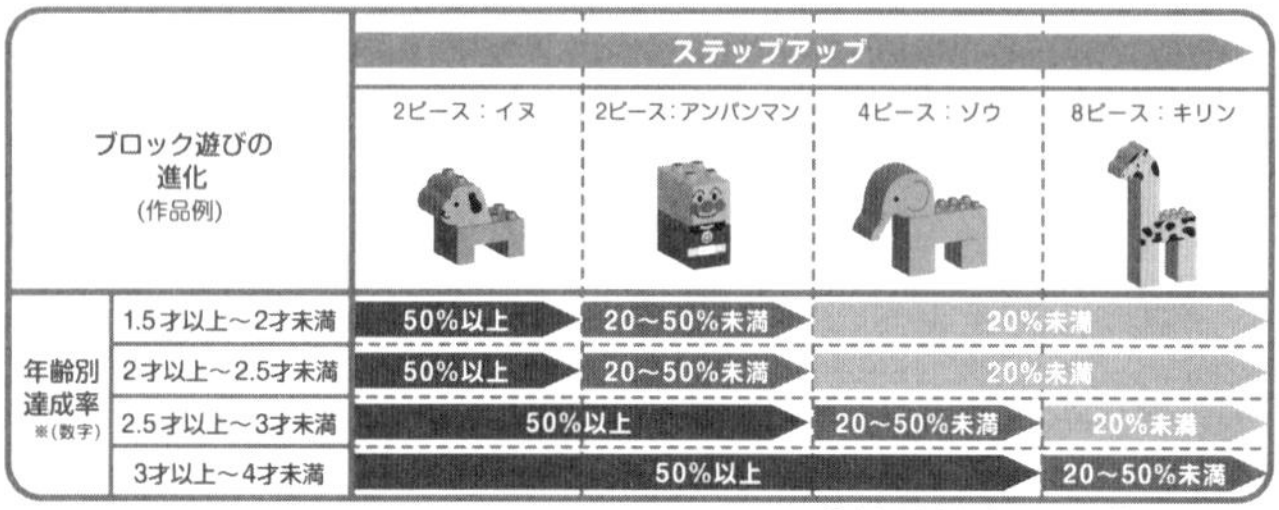

ブロック遊びの進化 (作品例)	ステップアップ ▶			
	2ピース：イヌ	2ピース：アンパンマン	4ピース：ゾウ	8ピース：キリン
1.5才以上〜2才未満	50%以上	20〜50%未満	20%未満	
2才以上〜2.5才未満	50%以上	20〜50%未満	20%未満	
2.5才以上〜3才未満	50%以上		20〜50%未満	20%未満
3才以上〜4才未満	50%以上			20〜50%未満

※(数字) 達成率は最後まで組み立てることができた子どもの割合。

図25　ブロック組み立ての検証結果例

ます。ピースが2つしかない犬のブロックでは、1歳半以上〜2歳半未満の子どもの半数以上が正しい組み合わせにたどりつきます。ここで、重要なのは1歳半以上から始まっていることです。実は、1歳半未満では、ほとんどのお子さんは正しくブロックを組み立てることができません。ブロックは創造性を育むとか、知育に良いというキャッチフレーズで、子どもが生まれると買い与えることが多いようですが、残念ながら1歳半まではお子さんが使いこなせないので、それまで箪笥やクローゼットにしまったままにしてしまったご家庭も多いのではないでしょうか。

私も、実際にブロックを組み立てるシーンを観察していましたが、1歳半でようやく2ピースを組み立てることができるようになります。さらに、同じ2つのピースでもアンパンマンのブロックになると、印刷された洋服に着目し顔と胴体の向きを揃える必要がある点で、難易度が少し増します。そのことが実験結果にもはっきりと現れていて、同じ年齢層の子どもでも達成度は50％未満に低下します。しかし、これが２歳半以上になると、正解率が犬の場合と同じ半数以上にアップします。さらにゾウやキリンなど、使用するピースの数が増えるにしたがって、正解へと到達する年齢もまた上がっていくことになります。子どもたちが組み立てていく様子をよく観察していると、人の認知機能の発達は実に興味深いということに気づかされます。

２つのピースを合わせることができるようになってから、図柄を理解して組み合わせられるまで、実に１年近くもかかっています。こういう研究の結果は、あくまでも統計的なデータであり、個々のお子さんによって多少の違いはありますが、こうした目安があることで、年齢でブロック遊びの難易度を調整することが可能になります。お子さんだけでなく、親御さんも遊びを通して、子どもの成長を感じることができるようになり、育児の刺激にもなるでしょう。親御さんの中には、子どもの発達に不安を抱える方も多くいらっしゃいます。他の子と比較して、成長が遅れてはいないだろうか？　発達の過程で何か問題を抱えてはいないだろうか？　親であればだれでも、少なからずそうした不安を抱くといって差し支えありません。そしてブロックラボがめざしているのは、そうした親御さんの不安を少しでも減らしていくこと、子どもの心が教えてくれた自然な成長のプロセスを理解していただくことなのです。

無理をして難しい課題を与える必要はありません。具体的にいえば、まだ1歳半のお子さんに、8ピースのキリンを完璧に組み立てるよう尻を叩く必要もないわけです。

一方で、2歳半を過ぎても犬が組み立てられない……そんな不安を与えるのではないかというご指摘もあるかもしれません。しかし、私たちが示している実験の結果はあくまでも「半数以上」というレベルです。できないからといって発達が遅れていると考える必要もありません。ちょっと頑張れば手が届く、そういった刺激を与えられるように、これらのおもちゃは段階的に用意されています。そういった、認知機能の発達を、自然に支援していける環境デザインが何よりの目的なのです。

そのような目的のために、このプロジェクトでできたブロックラボシリーズには、発達に沿った認知機能の成長の過程が商品に盛り込まれていっています。対象となる年齢ごとに遊びの目的を解説し、お子さんの成長を段階的に選んでいけるように、研究結果が年々蓄積されているのです。人の認知機能の発達をすべて理解するにはとても長い時間が必要になります。しかし、300年の工期が技術の力で半減したサグラダファミリアのように、脳機能などの計測技術や神経回

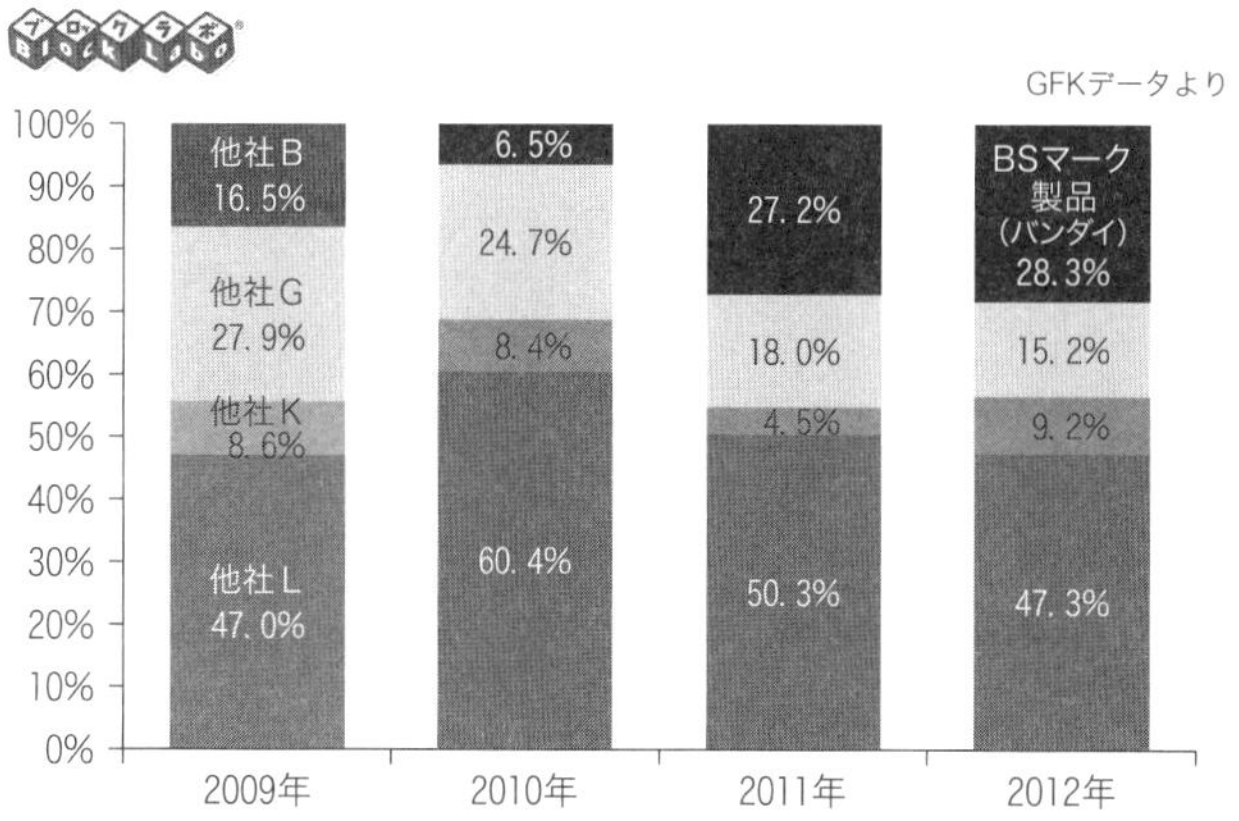

ブロックラボ参入後のシェア推移
1～3歳ブロック市場

図26　ブレインサイエンスマークのついた製品の市場インパクト

路のシミュレーション技術などの進歩、そして、多くの実験からの知見が系統的に積み上げられていくことで、加速度的にその理解は進んでいます。

認知機能の発達に関する知識を基盤としたブロックラボシリーズは、今や同種の幼児向けブロックおもちゃとして、今では国内1位、2位を争うシェアを獲得するスタンダード商品へと成長しています。

全くの0から開始して、数年で存在感のあるシェアへの成長を目の当たりにして私も驚いています（図26）。その要因としては、もちろんキャラクターの選定や販売戦略など、ビジネス戦略が卓越であるからです。一方で、購買者の発達科学に対する欲求と理解が、以前に比べより高まっていることが背景にあるからではないかと思います。この市場はもともと世界市場を席巻している超有名な企業の製品がシェアを占めていたので、とても難しい市場でしたが、社会がより科学的エビデンス（根拠）志向に向かいはじめた証左ではないかと思います。

以上、本章では、バンダイとの協創を中心に、子どもの脳を育むというコンセプトのおもちゃについてお話ししてきました。子どもの心にひびく「遊び」のデザインは、月齢・年齢を考え、その認知機能が成長する時期に合わせて適切な遊びをデザインするという考えで進めてきました。これまでと大きく違うのは、実際のその効果をきちんと検証し、第三者の目から見てもその根拠を明らかにしたことにあります。ここでの話題は子どものおもちゃに限られています。しかし、バンダイと共に仕事をするきっかけのところでもお話ししたように、私たちはみな、おもちゃで遊び、大人へと成長していきます。そのことによって心を育んでいきます。

子どもたちはやがて大人へと成長し、この社会を担う中心の位置を占めていきます。それまでにどのような心を育んでいけるのか。それはまさに、社会そのものの在り様とも深く関わっており、子どもの頃に良質な心をしっかりと育むことができれば、社会もまた、良質な方向へと進んでいくことができる、私たちはそうした点も視野に入れています。おもちゃだけではなく、生ま

表2　心的価値を重視する産業への移行が招くレギュレーションや学術基盤の進化

	利便性の時代	心的価値を重視する時代
安全性	機械的 エネルギー的	生物的 心理的
効果	生きる・嬉しい・ 楽しい・安心 （脳幹・辺縁系の充足）	前向きに生きる 退行を抑える （辺縁系・大脳皮質の充足）
基盤	工学 （電気・機械・情報・化など） 理学（数・物理）	生物学 心理学 脳神経科学

れてから天寿を全うするまで続く発達の段階で、人・メディア・機械などあらゆる人工的な環境が脳に影響を与え、神経回路を育み、メンタルモデルを作り、私たちは変化していきます。

したがって人工的な環境が人の脳に与える影響を、研究を通して理解していくことが、重要でないはずがありません。なぜなら、人工的社会を作り続けていく人類は、その社会が人類に与える影響を理解する手段をすでに手に入れているわけです。すなわち、その理解が直接的にその社会のデザインの最適化に有効であるわけですから、社会の競争力の核となる能力になるわけです。そういった視点で考えると、あらゆるもののデザインに、脳神経科学や実験心理学の手法が採用され、また生物学的知見が活用されることになってきてもおかしくはないでしょう。あとがきに図にして示しましたが、本書を通してご理解いただきたい心にひびくデザインには、社会を構成する生物学的な多層構造とそれらの相互作用の理解と統合が必要となります。

第1章の図11を再見すると、産業や社会やニーズの進化は脳の進化に沿っていることに気が付きます。そう考えると、その進化が人に与える、あるいは、人が与えてほしいと願う価値は、将来は物質的価値に対して心的価値の比重が大きくなるように進化をしていくことは容易に想像がつきます。価値が進化すると、その進化を支えるためにレギュレーション、その価値を図る指標、学術基盤も追加され、さらに進化していくことになります。表2に、そういった価値の進化に伴った、想定される変化を示します。

そしてこのことは、第4章の「心にひびく社会のデザイン」とも深く関係しています。そこでさらに、詳しくお伝えできればと考えています。

第3章　心にひびく「学び」のデザイン

1. 脳神経科学を使って良質な「学び」をデザインする

学びをデザインするということ

本章では、子どもの遊びから一歩先へと進み、「学び」にフォーカスする形で、「学び」のデザインの問題を考えていきたいと思います。

教育について語ると、よく議論が紛糾した経験はないでしょうか。議論が紛糾するのは当然で、たいていの場合自分が受けてきた教育を是として、個々人が議論を進めるからです。ある意味全員が教育の専門家なのです。当然ながら、各個人の立場に立つと、これまで受けてきた教育が各人格を作ってきているわけですから、自己の教育体験、すなわち「学び」の体験を否定できる人はあまりいません。そのため、教育の議論をすると、それぞれの経験のすれ違いから、紛糾することが多くなるのです。

そういった不毛な議論に時間を割くよりも、私は、「学び」のデザインにも、生物学的な知見を導入していったほうが良いと考えています。例えば、脳神経科学の知見に基づいて「学び」に対して効果のある介入方法の仮説を立て、新しい実験デザインを組み立て、実際に実験する。その結果をもって、介入効果に対する結論を導き出す。これが、とても簡明な「学び」をデザインする道筋だと考えています。

そのために脳神経科学をどのように使っていけるのか、本章ではそうした検討の軌跡についてお話しします。遊びと同様に、学びもまた社会に深く関わっていますが、遊びほどの説明は不要でしょう。学びとは、何も若者たちだけの特権ではなく、学校を卒業し社会に出ても、学びの必要性は決してなくなることがありません。みなさんの中にも、日々仕事に関する知識を学び、あるいはコミュニケーションなどのスキルを学び、あるいは、書籍を読んだりセミナーなどに出席し、それ以外にも幅広い分野の知見を深めている、そんな方がいらっしゃるものと拝察します。

忙しい毎日、どれだけの時間を学びに割くことができるか。多くの制約がある中で、好きなだけ学びに時間を費やすことができる人は、残念ながら圧倒的に少ないのが現実です。だからこそ、学びの効率ということが重要になってきます。脳神経科学を活用して「学び」について理解し、その成果を、実際の学びの場面へとしっかり落とし込んでいくこと。そうすることで、多くの学びの質を、さらに上質なものへと深化させていくことができると考えています。

前章では、偶然の出会いから、心を育む「遊び」のデザインを考えることになり、発達段階に応じた刺激を取り込んだおもちゃについて書きました。そしてそれとまったく同じ構図が、学びについても当てはまるように思います。脳が、学びの場＝環境から適切な刺激を受け取ることで、学びの質や効率が向上していく。あるいは、脳が受け入れやすい刺激を学びの場においても用意してあげる。学びというと、一般的には心とはやや距離のあるものに感じられるかもしれません。それもそのはずで、私たちが「心」という言葉を使う時、それぞれ「心」の定義が異なっているからです。それでは、遅ればせながら『心理学辞典』（有斐閣）を紐解いて「心」の定義を見てみますと、なんと書かれていません。いたしかたないので、広辞苑を紐解くと、いろいろと書いてありますが、筆者の定義に近いものとして、「知識、感情、意思の総体」と書かれています。すなわち、知性も当然ながら「心」の範疇であり、学びも心にひびくデザインの対象となるということです。

そのように考えると「遊び」のデザインと構造はまったく同じで、感覚器に対して、脳が受け入れやすく、好ましい刺激を与えることで、脳が滑らかに動き、効率的で高い学習成果が生まれる技術はあるはずです。そのような刺激をデザインすること。もっと具体的にいえば、良い刺激を生み出すインターフェースを開発すること。それが私たちにとってのめざすべき場所であるといえます。

本書の冒頭で、エレベーターの開閉ボタンの話をしました。その話題を思い出していただきながら、これからのお話に目を通してください。お伝えしたいのは、いくらやっても脳が学習できないボタンデザインが身近にあるわけですから、その逆もあるはず、ということです。

ペンはキーボードよりも強し？

ここからは、私たちが研究を通じて得た多くの知見を、実際の学び＝学習行動へとどのように応用してきたのか、という点にシフトしていきたいと思います。

はじめにお伝えするのは、ペンとキーボードのお話です。最近ではスマートフォンが同じような問題点を挙げられていますが、一時期キーボードは、創造性を損なうのでペンで文字を書くべきであるという議論がありました。私たちも、漢字が書けなくなったなどの実感があると思います。では本当にそうでしょうか。

民族学者であった梅棹忠夫が著した、『知的生産の技術』（岩波新書）の第7章「ペンからタイプライターへ」には、「知的生産のおおくのものは、けっきょくは字をかくという作業を、そのもっとも重要な要素としてふくんでいることがおおいが、それをかんがえると、日本語をタイプライターにのせるというのは、日本における知的生産の技術としてはもっともたいせつな問題であるといわなければならない。」と書かれています。著名なこの方はキーボード普及の前から、脳からの出力の効率を上げるには、タイプ式が良いことに気が付いて、それが知的生産にとって重要な道具であると述べているのです。

みなさんの日々の仕事や生活において、キーボードを打つ時間はどれくらいの割合を占めているでしょうか？　最近では、スマートフォンもかなり多いと思いますが、取引先にメールを送る、上司に提出する報告書を書く、来週のプレゼンの資料を完成させる、あるいは、課題のレポートと必死になって格闘する。今の時代、こうした作業を手書きで行っている人は非常に少ないと思います。

つまり、キーボードという存在が非常に大きな位置を占めているはずです。だからこそ、向き合う時間も自然と長くなる。ここでみなさんに少しだけ考えていただきたいのは、そうなった理由はいったいどこにあるのか、という問題です。技術革新が進み、だれもがパソコンを使うようになったから。もはや、パソコンを使わない生活など、とうてい考えられないから。あるいは、キーボードを使うほうが、ペンを用いるよりもはるかに便利だから。たしかに、パソコンの登場によって私たちの仕事や生活は便利になりました。

少なくとも、書字という限られた領域に関しては、ほとんどの方がそう信じています。そして実際のところ、その認識はほとんど正しいものだということができます。それでも、私自身は「ほとんど」からこぼれる部分に注目したくなります。それはある意味では、便利であるとは何かを考えることです。ないしは、キーボードを便利だと感じる主体はだれなのか（何なのか）という問題です。

このような問題に対する答えを発見するために、私たちはある実験を行いました。それが図27に示した内容になります。ペンとキーボードという異なる存在。それらは脳にとってどのような意味を、それぞれに有するか。身の回りの身近なインターフェースを題材にして、脳神経科学的に解釈する試みです。

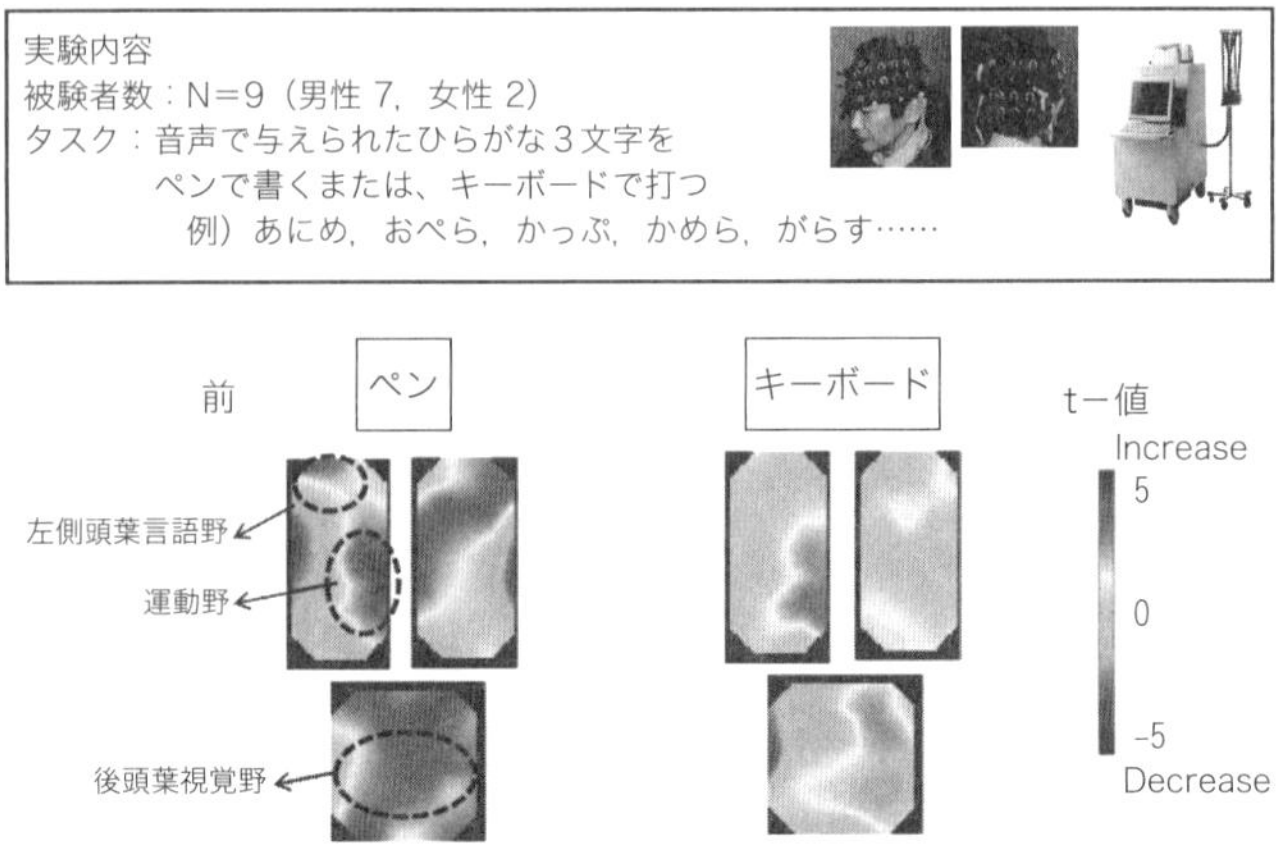

図27　マンマシンインターフェースと脳（口絵カラー参照）

ペンとキーボード、それぞれのツールを用いた場合に、脳の様々な領域のうち、どの部分が活発に動いているのか私たちは測定しました。この実験結果から分かったのは、およそ次のようなことです。

ペンを用いた際には、言語にかかわる言語野、運動制御する運動野、視覚野といった部分の活動に伴う血流が顕著に増加することが分かりました。他方、キーボードを用いた場合には、運動野・音声認識にかかわる領域・視覚野が若干活動しています。図27の左右を比較すると、全体的にペンのほうが活動が多いことが分かると思います。

ところで、みなさんも心当たりがあると思いますが、手書きとキーボード、双方を比較した時に、どちらのほうが多く誤字が起こるでしょう。ほとんどの方は、キーボードを使用した際に多くの誤字を犯してしまう経験に気づくと思います。私も、偉い先生に敬称を付けずにメールを送ってしまって、後で平謝りのメールを書いたことがあります。

こういった事実は、脳機能の計測画像を見た時に、ああそうかと気が付きました。全般的にペンのほうが脳活動のレベルは強いのですが、とくに後頭葉の視覚野ではその強さをハッキリと確認することができます。一方、キーボードの場合には視覚野ではほとんど反応が見られません。つまり、ほとんど脳が活動していない＝文字を見ていないということが示されています。その後私はキーボードで打った文章は、すぐに送らずに、見直すことを心がけるようになりました。

このことは、ペンとキーボードのそれぞれの入力の仕方に由来していると私たちは考えています。

ペンを使った書字の場合には、実際に手を動かしてペン先を「見ながら」「書く」、書かれた文字を心の中で「見ながら」「読む」、これらの作業が必要不可欠です。しかし、キーボードは、頭の中で文章や文字を「音韻」として思い浮かべ「打つ」という行為によって入力します。こうした入力方法では、読む、書く、見る、といった行為に対して注意を払う必要性が少なくなってし

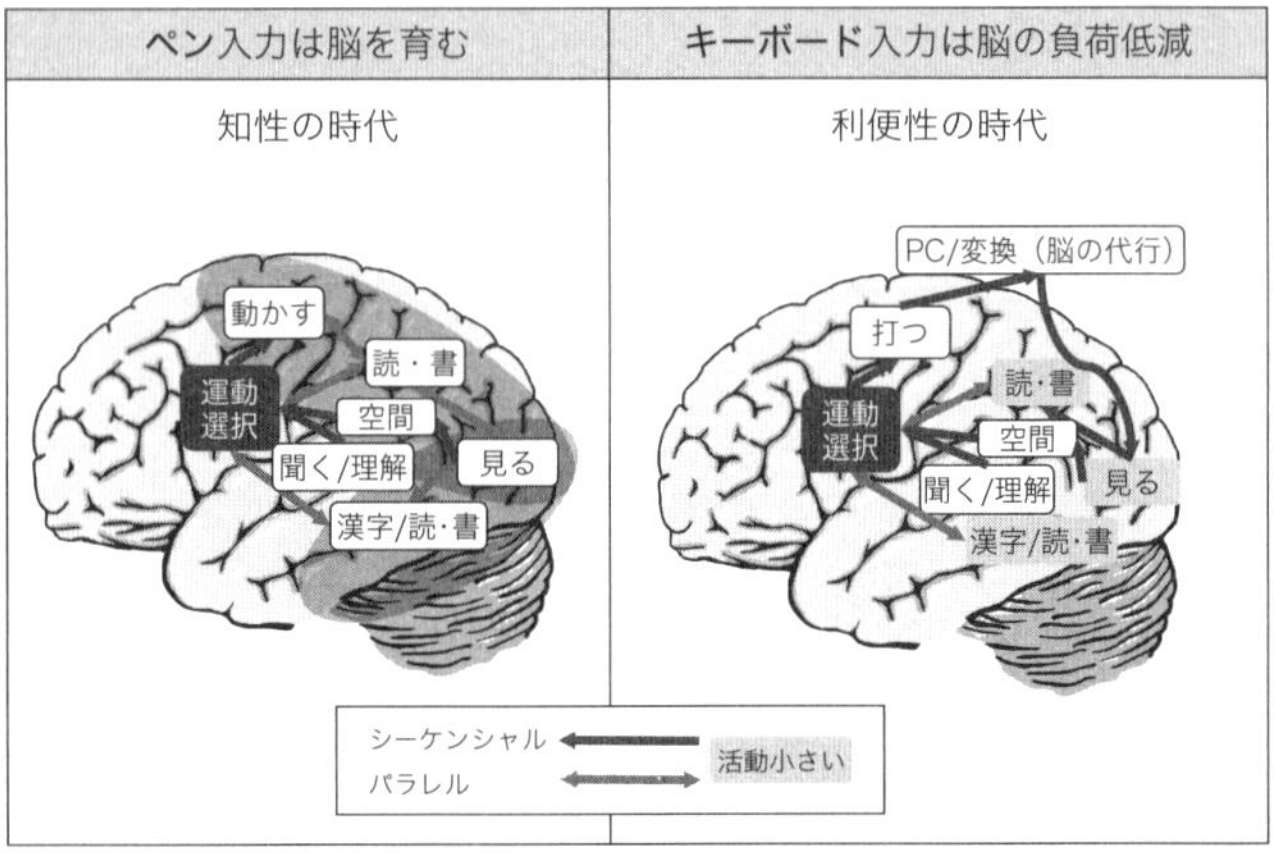

牧敦、久保田競氏

図28　文字入力インターフェースによる脳活動の差異

まうわけです。

頭で文字の形状を思い浮かべなくても候補を示してくれる、だから注意して目で追う必要もなくなる。指先を目でみていなくても、勝手に文字は入力されるなど、先に挙げた認知機能を必要としなくなるのも、当然といえば当然です。図28には、ペンとキーボード入力で使用する脳機能とそのつながりを記載しました。

実は、文字を覚えるということに関していうと、ペンのほうに軍配が上がります。このことは、fMRIと記憶テストを使った研究[50]で結果がきちんと示されています。見たことのない新規の文字を学習するのに、キーボードを打って覚える場合とペンで書いて覚える場合のどちらが良いのか。fMRIで何週間も追跡して調べると、記憶テストの結果からは、昔から書いて覚えろといわれるように、ペンで書いて覚えた場合のほうが新しい文字を覚えている期間が圧倒的に長いことが示されています。しかも興味深いことに、fMRIの結果からは、書いて覚えた文字を思い出す時には、運動にかかわる領域に強い脳活動が見られました。文字を書く時の運動は、ただキーボードを打つという行為よりも複雑な動きです。そちらのほうが覚えやすいということは、運動記憶のメンタルモデルは連続する一連の動作を脳のリソースをたくさん使って記憶するほうが適しているということになります。複雑なほうが学習しやすいというのは、私たちが知るコンピューターなどとは異なる面白い脳の特性ですね。

なお、誤解のないように一点だけ申し添えておきます。脳が活動しないから、キーボードを否定しているというわけではありません。そして、ペンのほうが明らかに優れている、キーボードがペンよりも劣っている、ということをいいたいわけではありません。ここで私がお伝えしたいのは、たしかに、字を学ぶという点ではペンのほうに分があるということです。そして、心にひびく「学び」のデザインとは、脳にとって楽なインターフェースであるということとは関係がないということです。

こうしたペンやキーボードの特徴について、脳神経科学にはほとんど馴染みのないある知人に話した時、その知人から次のような反応がありました。「キーボードって両手を使いますよね？何だかそのほうが、脳が活性化されるようなイメージがあるんですけど？」

知人のいいたいことは何となく理解できます。しかし、両手を使ってキーを打つから脳の活動が高まるということよりも、キーボードは脳に負荷をかけない装置であると考えたほうが良いでしょう。実験はしていませんが、おそらくキーボードを習いはじめた頃からタッチ・タイピング（キーボードを見ないで入力すること）ができるまでの間は、脳活動は多くなると思います。しかし、短期間でタッチ・タイピングもできるようになることから、キーボードは文字を覚えることよりも、脳から情報を出力するためのメンタルモデルを脳内に構築するのに適しているということになります。これだけの長い間、ずっと使われている装置ですし、脳もあまり活動しないので、高速に入力編集するにはとても良い機械ということがいえます。たった2種類のエレベーターのボタンの開閉を学習できない脳が、多くのボタンを持つキーボードは容易に受け入れるというところに、とても不思議な感じを持ちます。

梅棹忠夫が指摘しているように、タイピング入力は知的生産性を上げますし、一番大きな効果は脳の中の思考を即座に出力することができる点にあります。頭の中に浮かんだ言葉の音韻を正確に文字として出力し、文章をフィードバックして推敲しながら入力できるのです。

文字を書く（入力する）スピード、という観点で両者を比較するならば、キーボードが圧勝する様を私たちは目撃することになるでしょう。日常の生活は学びだけに向けられているわけではありません。仕事を中心に、スピードや効率が何よりも重視される状況はあちこちに存在しています。そんな状況で手書きにこだわっていては、多くの損失が生まれてしまうでしょう。仕事のように素早く思考をやり取りする必要がある場合には、これ以上の入力編集インターフェースは今のところ見当たりません。音声認識技術の認識能力はかなり上がっているので、入力そのものは置き換えられる可能性はありますが、誤変換の修正や、自分の声が思考を邪魔しないかなど、なかなかキーボードにとって代わる道具にはまだなりそうにありません。

大切なのは、ペンとキーボードの両者のストロングポイントには大きな違いがあると理解すること、そうした特性の違いを前提とした使い分けをしっかりと行うこと、であると私は考えます。無論、キーボードのない生活に戻ることなど想像もつきません。誤字・脱字のリスクが気にならないといったら嘘にはなりますが……。私がこのような裏づけを伝えると、ペンのほうがなんでも良いに違いない派の知人たちも、納得してくれました。こうした納得の量を増やしていくことが、心にひびく「学び」のデザインに与えられた、とても大切な役割であることを認識するエピソードです。

教育効果を高めるインターフェース

ペンを用いるほうが脳は学びやすい、思考を出力するにはキーボードのほうが良い。インターフェースによって、脳への入出力のしやすさが変わることはお分かりいただけたかと思います。

そんな実験の結果を踏まえると、より教育効果を高めるインターフェースはないものだろうか、と考えたくなります。前述の実験の結果は、すでに存在するインターフェースと脳の働きとの対応関係を考察し、解釈を付け加えただけに過ぎないので、特に「学び」ということに貢献しているわけではありません。ただ、方法論として、行動だけでなく脳の働きを可視化することで、発見があり見方が変わることは新しい点ではあると思います。そういう意味では、人間のあらゆる行動に伴う脳の働き方をデータベース化して、人間の行動の意味付けを行うことは、人間にとってより良い行動を定義したり、人間の使用する道具を設計するうえではとても有益であると思います。

実験から抽出された「学び」につながる重要な脳の機能の要素は、「書字」と「見る」です。一方ちょうどその頃、私たちは、教育においてＩＴ（Information Technology）導入を検討しており、当時、東京大学先端科学技術研究センターの中邑賢龍氏、高橋麻衣子氏との協働で教育用のＩＣＴ（Information and Communication Technology）システムを開発する文部科学省のプロジェクトを推進しました。[51] もちろん教育を対象としたプロジェクトですので、最終目標は便利なＩＣＴシステムを開発することではなく、論理的思考を育くむことに効果を発揮するＩＣＴを活用した教育技術を開発することでした。その頃、ＯＥＣＤ（経済協力開発機構）によるＰＩＳＡ（学習到達度調査）では、日本は総合力1位であったものの、読解記述力の問題では無回答が多く、「読んで理解し、考えて表現する力」に問題があることが指摘されていました。私たちはその原因の一つである論理的思考力に効果のあるＩＣＴ技術の開発をめざしたのです。

子どもは成長の過程で、話の論理を理解したり論理的に話したりできる能力を身に着けていかなければなりません。一般に、初期の論理的思考は算数であったり、作文であったり、成長すると数学の証明問題、そして、大人になると企画書、レポート、論文、演説、ディベートなど、論理的思考は社会生活において重要な能力の一つになります。ただの記憶テストができるという基本能力だけでなく、社会の中で生存に必要な一つの応用能力として「論理的思考」が位置付けられています。

ところで論理的思考力とは何か。多くの調査をし、侃々諤々《かんかんがくがく》の議論を経て、「多様な観点を参照して情報の関係性を捉える能力」と再定義しました。これは2章の「思いやりの心」「他人の考えが分かる」に焼き直したことと同じです。この課題も非常に難しい課題ではありましたが、ＩＣＴを用いて、子どもたちに論理的思考を育むことは、とても興味深いチャレンジでした。

私たちは単にＩＣＴで教材にアクセスできることや、動画などを使ってより臨場感を与えることなど、すでに考えられている技術を組み合わせて便利にするという方向性よりも、インターフェースそのものに教育効果を持たせることのほうが挑戦的であろうと考えていました。これは、私の習性ですが、「学び」の本丸である脳の特性から、学校におけるＩＣＴ機器はそもそもどうあるべきかを考えることにしたのです。

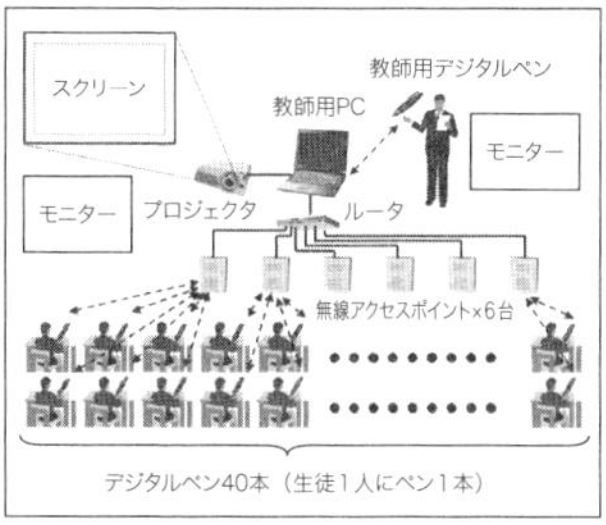

書字情報の実時間共有システム

脳の特性

・視覚情報処理：聴覚情報処理
（高速：並列処理）（低速：逐次処理）

・視覚野の広さ ＞ 聴覚野の広さ

・読む速度 ＞ 聞く速度

仮　説

慣れ親しんだインタフェースによって視覚的にクラス全員の書字が共有できれば思考も共有され、教育効果が期待できる

脳の特性からみた効率的な教育法仮説

図29　脳の特性を活かす教育インターフェース

先ほどの実験において、文字を覚える「学び」において視覚と書字が重要であることは先に示したとおりです。したがって、初等・中等教育の「学び」の場においても、「視覚」と「書字」は重視しようと考えました。そして、そのようなシステムを開発し実証実験によって教育効果を測定するところまでが、私たち自身が定義したミッションであったとお考えください。システムの概略と、システム設計上重視した脳の特性についての概要を図29に示しましたので、併せてご参照いただければ幸いです。

まず、脳の特性として着目したのは、音声情報処理に対しての視覚情報処理の優位性でした。視覚の情報処理には、脳内では高速かつ広い領域が使用されています。たとえば、人の話を聞くよりも文字を読んだほうが早いということは、実感として理解できると思います。小学生になったつもりで、学校の教育現場に照らし合わせてみましょう。小学生は、先生の話を聞きながら、黒板に書かれたことをノートに書いて理解します。それは、逐次的なプロセスで、並列的なプロセスではありません。私たちも、書くのと同時に人の話を聞いて理解することは、聖徳太子でもない限り難しいわけです。そこで聞くということは脳から考えると、「学び」にとって、本当に大事なことなのか？　という疑問が浮かんできました。みなさんの頭の中にも、よくいわれる「聞いたことは忘れる、見たことは覚える、やったことは理解する」というフレーズが浮かんでくるのではないでしょうか。

そこで、聞くだけでなく、脳で高速な処理ができる視覚機能の最大活用を、授業に取り込もうと考えたわけです。もちろん先生は、話しながら黒板に書いているので、視覚機能も使っているわけですが、脳の視覚情報処理の能力にとっては物足りないように感じます。では、教室全員の書字情報も見られるようになるとどうでしょうか。授業中にかなりの情報が脳へ視覚的に入力されることになります。先生から学ぶことと、生徒同士で学びあうことが、同時並行して実現できることになります。そこで、例によって脳の特性から考えて、「書いたものを共有することで教育効果が高まる」という仮説を立てました（図29参照）。そして、それを実現できるシステムを設計・開発したのです。

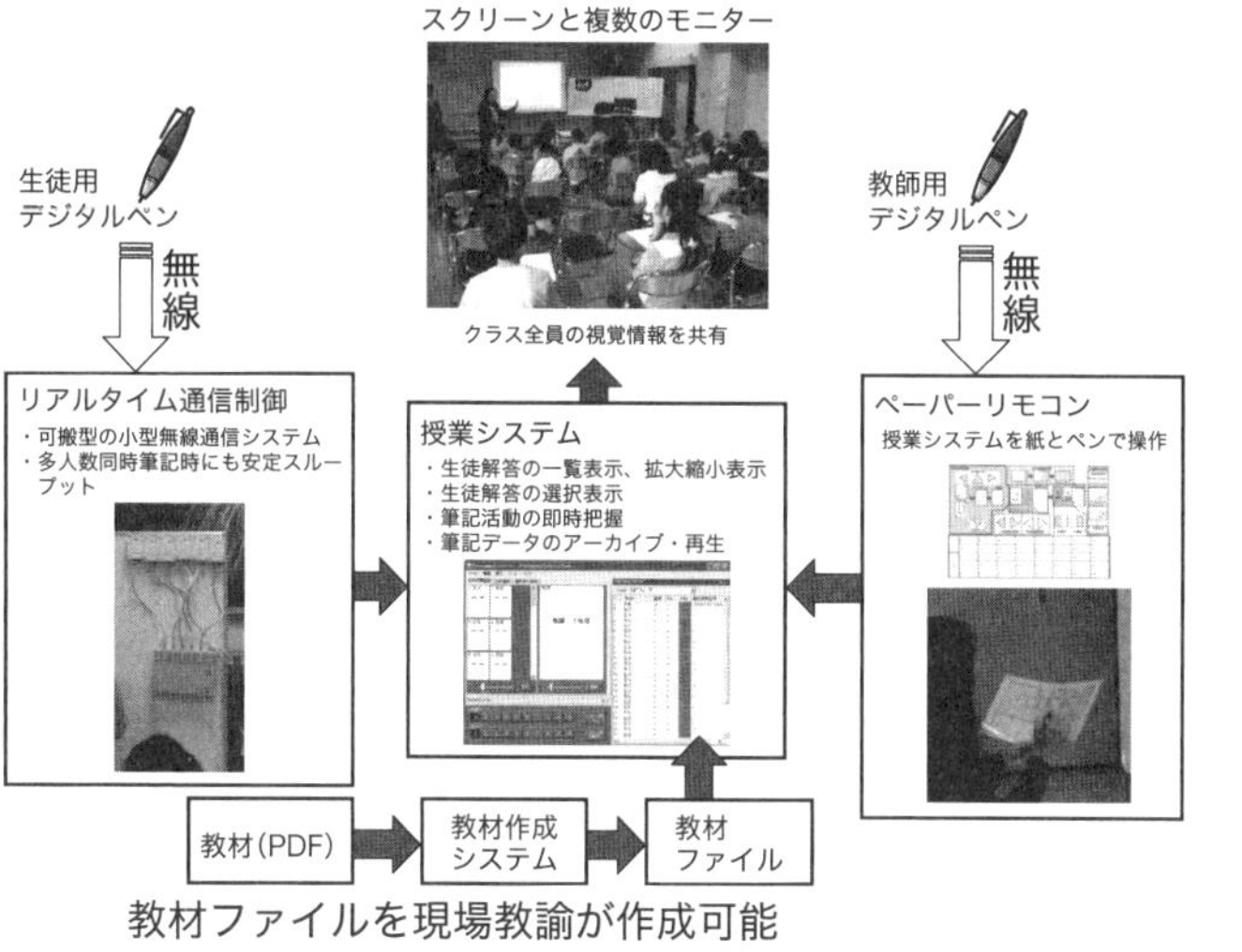

図30　生徒同士の書字情報の視覚的共有授業システム

しかし、システムの開発にとって重要だったのは、子どもたちが日頃から慣れ親しんでいるインターフェース＝ペンを用いることでした。タブレットに書くということも考えましたが、当時のペンとタブレットは実用に耐えうるものはなく、たどり着いたのが、デジタルペンというツールでした。残念ながらこのデジタルペンは普及していませんが、紙に書いたものをデジタル信号としてそのまま転送することができます。その仕組みは図30に示しました。デジタルペンでは、その先に設置されたカメラで、文字を読み取ります。ただ、紙のどこに書いたかが分からなければならないので、紙のほうに座標を示すドットが目には見えないインクでプロットされています。その結果、教師や生徒が書いた文字が座標データ（位置を表す数字データ）に変換されるので、デジタルデータとして通信を介してやり取りすることが可能になります。

そして、その書字情報を、教室内に置かれたディスプレイで表示すれば、視覚的に生徒同士の書字情報が共有できるわけです。論理的思考には、多様な観点を参照して情報の関係性を捉える能力が重要ですので、授業中にたくさんの思考情報を参照して、整理することも鍛えられるであろうという効果も期待できます。

結果的にこの実験は利便性の観点からも、優れていました。教室の中で小型無線通信システムを活用することによって、瞬時に大きなスクリーンへと情報を表示できます。また、書いたものがすべてデジタルデータで記録されているので、解答までに要した時間もすぐに把握できます。過去の解答実績をアーカイブとして蓄積し、あるいは再生することも可能になります。さらに、教師がペーパー型のリモコンを操作することで、煩雑なコンピューターを操作せずに授業を進めていくことが可能なようにシステムを開発しました。

そして、最初に意図した書字の視覚的共有ですが、一つのスクリーンに複数人の書いたものを映し出すことで、教室にいる全員が簡単に共有することができるようにしました。また、教師は逐次的に席を回らなくても良いように、生徒たちが書いた情報を分かりやすく整理して教師用モニターに表示できるようにしました。そのため、教壇にいながら各生徒の状況を把握することができるわけです。そういった機能を盛り込むことで、個別の理解のレベルを短時間に定量的に把握することを実現し、従来よりも効果的な「学び」の場を作ることをめざしました。当時としては、かなり未来を先取りした教室ですが、一対多の一方通行ではない、生徒同士も学びあうことができる新しい授業スタイルを実現しました。ギリシャ時代から変わらない多人数教育の場を根本的に変えられたのです。バックグラウンドは、高度にデジタル化されてはいますが、紙とペンを使った古典的なインターフェースで実現できるわけですから、部屋ごと変えるとか、装置の操作を覚えるなどといった必要もありません。

ところで、肝心の教育効果はどうなのでしょう。こういうシステムを導入した際に、なぜか教育効果を客観的に評価することはあまりなされません。アンケートなどでシステムの利便性の評価はされますが、本来、システムが使いやすいとか便利であるということよりも、教育効果が高いというアウトカムで評価するべきです。例えば、薬の場合、治験を行ってその効果を厳密に把握します。薬の場合には、プラシーボ効果という心理作用が存在することが知られています。これは、効くと思い込んで飲めば、薬ではない物質、例えば小麦粉でも効いてしまう効果のことです。もともと、人の自己治癒能力は高いですから、このプラシーボ効果を排除しても、薬には効果があると証明しなければいけないことになっています。

教育においても、実験が困難なのでプラシーボ効果の排除とまではいいませんが、やはり教育効果を検証することは、取り入れていくべきでしょう。そういった効果検証の概念を取り込んでいくことで、教育技術が進歩し改善されていきます。国家や人類の未来を創っていく頭脳の発達や成長を支援する技術は、人の力だけでなくあらゆる技術や知恵を集約していくことが大切です。脳の特性に基づいて、より効果的に能力を獲得していくことで、人類の明るい未来が拓かれる確率は高くなるからです。

2.「学び」への効果は発揮されたか

作文への教育効果

私たちは、システムの開発にとどまらず、開発したシステムを用いた学びへの効果についての検証を実施しました。ここでは２つほど簡単に紹介します。最初に紹介するのは、作文の場面で発揮された効果についてです。作文は、自己の論理的な思考を他人に伝える表現法の一つです。この研究に参加してくれたのは、東京大学が主催するサマーセミナーに参加した中学２年生でした※。作文授業において、生徒同士が視覚的に情報を共有し、それぞれが書いた文章をデジタルペンでスクリーンに映し出し、全員で見えるようにしておくこと、それだけです。生徒の書字情報を授業中に相互に共有するだけで、作文を書く能力を向上させる効果を発揮できるのかを確認したわけです。もちろん、従来の黒板授業と比較して、それよりも良くなっていなければ失敗ということになります。

※サマーセミナーは研究を目的として行われたものではないため、仮説として教育効果が期待されるICTシステム授業と黒板授業の両方を受講していただけるように実験をデザインし、教育機会の公平性を保てるよう、倫理的側面にも配慮した。

ここでは、説得力のある意見文（いわゆる小論文の形式で、与えられた課題に対して自分なりの意見を述べる形での文章）を作成することとしました。論理的思考力を育むためにも、授業内容も合わせたわけです。先にも書いたように、効果の測定のために同じ教師がＩＣＴシステムを用いた授業と通常の黒板だけの授業をそれぞれ一度行い、授業の前後で作文の質を複数人で評価して、各授業の得点の伸びを定量的に把握しました。ここで、採点者はこの作文が授業前後、そして、ＩＣＴシステム授業なのか黒板授業なのか、だれによって書かれたものなのかも知らずに採点します。そうすることで、採点に先入観がないようにします。

実験結果の概要は図31に示したとおりです。説得性、客観性など事前に設定した6つの項目すべてについて、書字を視覚的に共有するシステムを使用した授業の場合にだけ統計的に有意な著しい得点の伸びを示しました。通常の黒板型授業の場合には決して目にすることのない、共に授業を受ける仲間たちが書いた文章をなにげなく目にすることで、自分の書いたものと比較検討することができるようになる。それだけで、自分の文章に足りない要素、欠けている視点など、多くの課題に気づくことができたのでしょう。そういったことが、書いたものを視覚的に共有することで、特に意識をしなくても行われたわけです。

□ 科目：国語（意見文の作成）
□ 学年：中学２年生（東京大学サマーセミナー）、約20名
□ 課題：説得的な意見文の作成
□ 評価方法：事前・事後テストの得点の伸び

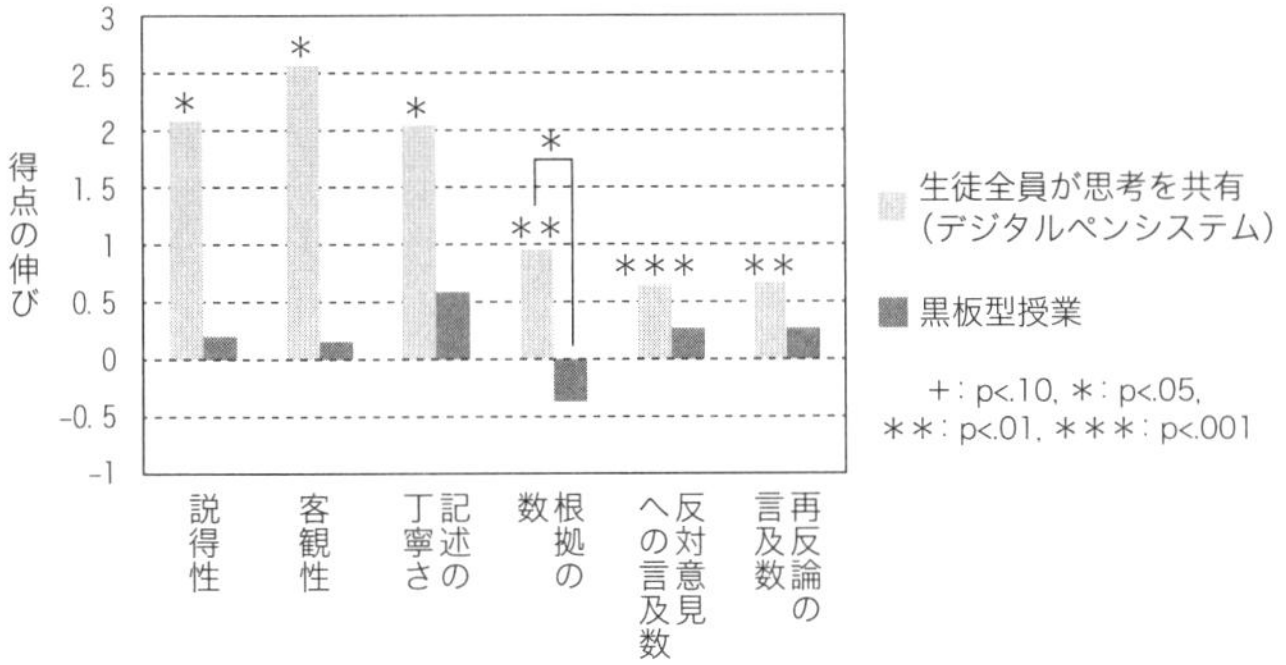

図31　生徒同士の書字（思考）情報共有の教育効果（作文）

いくら教師が言葉で課題を伝えても、聴覚への刺激だけでは理解するには限界があります。単位時間当たりの情報入力と分析の力は、一般的には聴覚よりも視覚のほうが優れているからです。授業中に、より多くの視覚への情報が提示されることで、後頭葉視覚野の能力を活用することができ、生徒たちへの教育効果が高くなったと考えられます。それも、授業時間は同じ長さですから、視覚的に生徒同士の書字（思考）を共有するだけで、効率の高い教育効果を得ることが可能になったのです。

映し出された他の生徒の書字情報をなにげなく見られる。このことで、教師からの言葉や黒板の情報だけでなく、他の生徒の思考が授業中

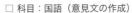

にシャワーのように脳へ入力されたのです。そのことが、作文の能力をも向上させるのです。

ＣＭなどの映像に対する視覚印象や味覚と同様に、作文の能力も感性のなせる業である。あるいは、文章力という言葉には、どこか生得的な先天的な要素を感じさせる響きがある。そういわれて首肯する方は少なくないように思います。しかし私たちの実験結果によって、文章力もまた脳の持つよく知られた力に着目するだけで、伸ばし得るということを示すことができました。そして、よく考えて設計すればその核心を技術的に実現できることも明らかとなりました。

論理とは、一般に考えや議論などを進めていく筋道のことを指します。思考や論証の組み立て思考の妥当性が保証される法則や形式や言葉と言葉、意味と意味の関係のことを指しています。教育者の力量・教材の質・教育法以外にも、そのような関係を把握する力を、脳のはたらきに着目して設計したシステムで伸ばすことができるのです。つまり、教育の環境を変えるだけで、教育効果を高めることができることが分かりました。心にひびく「学び」のデザインは存在するのです。

算数にも効果が見られる

作文、つまりは国語の分野における教育の効果についてお話ししました。作文は、文章を書く行為ですので、書字情報の共有が作文能力の向上に効果があるのは当たり前だと思う方もいるかもしれません。しかし、もともとシステム設計の中で採用した脳の生物学的な特性は、視覚が聴覚よりも情報処理能力が高いという特性です。すなわち、作文だけでなく、どのような科目であっても効果があるはずです。そこで、今度は小学生の算数授業を対象とした評価を行いました。こちらの評価は、教育技術に対して先進的な意識を持たれていた和歌山県のある小学校に協力していただきました。

ところで、みなさんの中でも、小学生の時に分数の計算には苦労した経験がある方がいると思います。そこで、小学生には少し難しい、初めての分数の掛け算や割り算の授業にこのシステムを使ってもらうことにしました。作文の時と同じように、同じ教師に従来型の黒板授業と書字情報の視覚共有の授業を実施してもらいました。また、今回は掛け算と割り算の2種類の授業があるので、2クラスの生徒たちに参加してもらいました。クラスのもともとの特性の差の影響を最

□ 科目：算数（分数の掛け算/割り算）
□ 学年：小学６年生（和歌山市立小学校）、１クラスあたり30名弱
□ 課題例：図や表を適切に使用して他者に説明する
　１㎗で5/7㎡塗れるペンキがあります。3/4㎗では、何㎡塗れるでしょうか？
□ 評価方法：１か月後の遅延テスト、適切な図表＋１点、不完全な図表＋0.５点

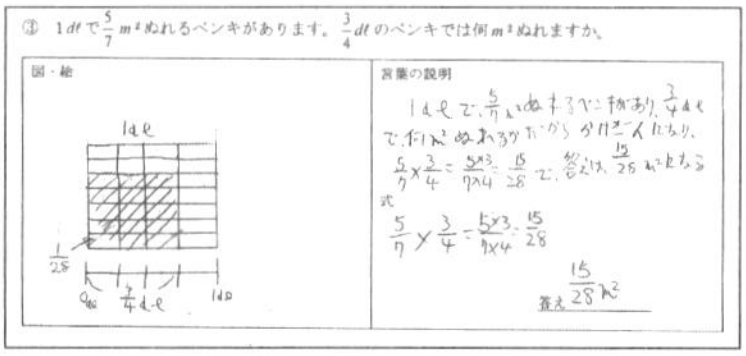

遅延テストの解答例

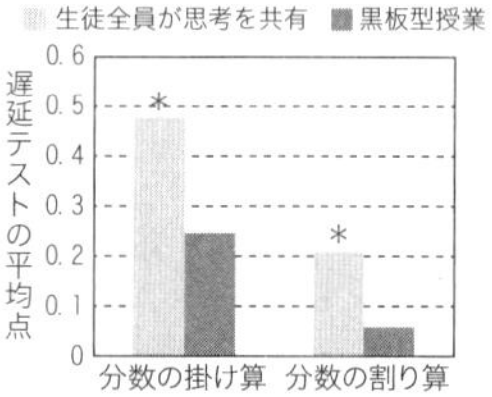

授業から１か月後に
行った遅延テストの結果
＋：p<.10, ＊：p<.05,
＊＊：p<.01, ＊＊＊：p<.001

図32　生徒同士の書字（思考）情報共有の教育効果（算数）

小限にするために、一方のクラスに掛け算授業で書字共有システムを用いた授業を受けてもらい、もう一方は割り算授業で書字共有システムを用いてもらいました。この方法は、心理実験でよく使われるカウンターバランスという手法です。こうすることによって、教師やクラスの特性の影響を最小限にして、システムの効果を確認するためです。そして、これらの授業の効果を、１か月後の遅延テストで定着度を評価しました。遅延テストの概要と結果については図32に示したとおりです。

　遅延テストはいくつか用意しました。分数の掛け算のテストの一例として、それぞれの小学６年生の子どもたちに、「１㎗で５／７㎡を塗れるペンキがあります。３／４㎗では何㎡塗れるでしょうか？」とのテーマを与え、図や表を適切に用い

て仲間に説明するという課題に取り組んでもらいます。この場合は評価の方法としては、適切な図表には1点を、不完全な図表であっても０・５点を与える、というのが採点基準になります。テストの解答例については図32の下段左側をご参照ください。この結果、書字情報を視覚的に共有した場合のほうが明らかに従来型黒板授業よりも高い平均点となることが、右側に示した授業１か月後に行ったテストの平均点から明らかです。

視覚による情報共有システムによる授業を受けた子どもたちは、通常の黒板型授業でこの授業を受けた子どもたちよりも、１か月後の試験で統計的に有意に高い平均点を獲得できました。文字情報だけではなく、図形を使った説明も共有されますので、視覚を通じて共有することが理解をより促進するということが確認されたわけです。文字にとどまることなく、図形など概念的な思考に対しても、視覚的共有システムが学習効果を与えることが検証できました。

ただし、一つだけ不確実性を含んでいることがありました。薬の効果を検証する治験では、真の薬を服用しているか偽薬を服用しているのか本人は知りません。この実験では、生徒たちは通常と違うことが行われているという自覚を持っているのです。たとえば、視覚的共有システムを用いると楽しいので授業に集中できる、先生が授業を進めやすいので進行がスムーズになる、など学習効果に対する複数ある要因を特定することは困難です。もちろん、それぞれ意味がありますので、システムが心に与える個々の影響については、今後明らかにしていく必要はあるでしょう。

まだ粗削りな状態ですが、私たちの社会にとって、そして、社会の未来にとって大切な子どもたちの考える力が、ここで示した最先端の研究成果によってしっかりと育まれていく。それはとても素敵なことです。科学には因果関係を明らかにするという目的があります。それは広い意味で、社会を良くすることに他なりません。科学の役割は自然現象を解釈し、知識化・モデル化することですが、科学で得られた新しい知識を連携させ、社会の中で使えるようにすることが工学の役割です。そして、工学では、だれでも作れて、使えるようにシステムを具現化するため、設計という方法論を取り入れています。設計を英訳するとデザインとなりますが、今回のようなシステム設計に、脳の生物学的な特性、いいかえると心の特性を盛り込んでいくことで、より人間に適した設計、すなわち、デザインが可能となります。

ペンで書いた時になぜか視覚の活動が高まるという気づきから、脳特性とインターフェースの関係について思索し始めたわけですが、脳の生物学的な特性が、教育システムの基本設計に役立つことが分かりました。

今はまだ、従来の教育方法を変えることには抵抗があるかもしれませんが、よく考えると、教師の筆記と口頭による指導だけの黒板型の授業は、古から変わっていないように思いますし、再考するということもあまりなされてこなかったのかもしれません。古代ギリシャの頃には、既に公立の学校のようなものがありましたから、ひょっとすると数千年も基本形式は変化していない可能性があります。エレベーターのボタンデザインも同じですが、当然のように受け入れてしまって思考を停止しているような事柄なのかもしれません。

しかし、技術は大きな進歩を遂げています。これまでできなかったことができるようになって、再考する機会が訪れているはずです。本章で紹介した私たちの事例以外にも、「学び」の対象となる脳の生物学的な特性に着目すれば、現在の「学び」に変革を与えることができるでしょう。また、ＩＴ技術の進歩のみならず、計測技術の進歩で脳の理解が深まってきている現代においては、多くの着眼点があるはずです。脳の生物学的な特性に基づく教育技術の開発は、学生だけでなく複雑化する人間中心の社会実現のために、全世代を通じて重要です。多くの方の興味と知恵で、様々な心にひびく「学び」のデザインができてくることを願います。

現在、遠隔教育や遠隔会議の社会的要請が高くなってきています。まさに、脳の特性から考えて、より大脳皮質や辺縁系にひびく効果的なシステムを開発するべき時代が来ているような気がします。

3.「学び」と光、「学び」とやる気への脳神経科学的アプローチ

学びに適した光環境

心にひびく「学び」のデザインとして、私たちは光環境についての研究も実施しました。より具体的にいえば、学びにとって適切な光環境とはどのようなものか、評価を通して考え、その結果を反映してデスクライトを開発することにしたのです。大人だけでなく子どもも忙しい現代人にとって、学びやデスクワークの時間はどうしても夜になります。この原稿も、仕事が終わって

夜書くことが多かったのですが、学習やデスクワークにはもちろん光が欠かせません。

これまで、脳にとっては環境が非常に大切であることを、繰り返しお伝えしてきました。良質な環境を通じて脳に良い刺激が与えられることによって、良質な心が育まれ、さらには高い学習効果が生まれます。ここから敷衍《ふえん》して考えれば、良質な光環境は学習効果を高めるものと期待できます。逆にいうと、学びの質をさらに高いものとしていくためには、前章でみたツールだけでなく、照明装置などの器具についても、適切なデザインを脳神経科学から検討して行けるというわけです。

この研究は、当時、京都大学の若村智子氏と同志社大学の廣安知之氏との共同で実施したもので、若村氏のグループはこの研究結果を国際睡眠学会や日本生理人類学会などで発表し、数々の賞を受賞されました。実は、この光の生体への影響を評価する研究は、そう簡単にはできません。というのは、光以外の環境因子をできうる限り一定に保たなければいけないからです。特に温度変化の影響は大きいため、同志社大学にある恒温室のお部屋をお借りし、さらに足もとには断熱材を置くという念の入れようでした。京都大学の若村氏は、看護師の24時間交代勤務をできるだけ負担が少なくできるように、光環境の最適化の研究を進めていらっしゃいました。

光は眠りに作用する

製品開発のために研究を実施した2010年というのは、丁度LEDが普及し低価格化してきた時期です。そして、様々な色の光をLEDで作り出せるようになり、机の上の照明にも使えそうになってきていました。ただ、私が当時最も関心を寄せていたのは青色LEDについてでした。2001年に2つのグループから人のメラトニンの分泌抑制のアクションスペクトルが報告され、メラトニンの分泌抑制は460nm付近の短波長の光で最も大きいことが明らかとなったからです[52][53]。この波長は、大発明であった青色LEDに含まれていて、その強度もピーク付近でぴったりと合うのです。

さて、ここでメラトニンとは何でしょう?　メラトニンこそ脳神経科学、あるいはメンタルモデルにかかわる物質です。メラトニンは、脳内の奥深くほぼ中央にある松果体というところから分泌されます。そして、このメラトニンが、夜分泌されることで、人は眠くなり、朝の光で分泌が抑制されることで人は起きるといった、体内時計の基本となる概日リズムをつくる作用があります。1980年に初めて、人間のメラトニンの分泌が光で抑制されることが報告されたので、比較的新しい発見です[54]。

そこで気になるのが、先ほどの青色ＬＥＤのスペクトルがメラトニン分泌を抑制する波長を含んでいるということです。青色ＬＥＤがないと白色の光を作ることができないので、色を変えられる調光型のライトの場合、必ず青色ＬＥＤは入っています。そう考えると、夜寝る前に仕事や勉強する時に、青色ＬＥＤの光を浴びたらどうなるのでしょうか。

二つの仮説が立てられます。一つ目は夜眠れなくなる。二つ目は目がさえて仕事や勉強がはかどる。すなわち、概日リズムを作るというメンタルモデルに対しては安全ではないが、夜集中して何かをしなければならない時には効果がある可能性があるということです。私たちは、夜寝たくない時に、カフェインの入ったコーヒーやエナジードリンクといわれるものを飲んで頑張ります。照明だけで同様の効果が出るのではないか？　という期待をしました。しかし、子どもには当然お勧めできません。そこで、私たちが作ろうとしている調光型の照明でメラトニンの分泌抑制が起きるのか、そして、その結果として、照明の色によって認知的な活動に影響が出るのかを実験してみることにしました。

さらっと書きましたが、もしメラトニンの分泌抑制が起きるとなると、日用品としてのLED照明については、よく考えて使わなければならないといったことになってしまいます。これまでは、夜作業をする時に明るくするためだけに使われていた道具が、人の生理的な反応に介入していることになってしまうからです。当時、照明の消費電力が少なく、寿命が長いLEDの需要はどんどん高まるという雰囲気でしたが、私が少し違和感を覚えていたのはこの460nmという波長について知っていたからです。私たちが、この研究と照明の製品化支援に取り組んだのは2010年でした。この時に、LED照明がメラトニン分泌に与える影響について公表しているメーカーを見つけることはできませんでした。2001年には、すでに専門紙に研究が報告されているので、照明を製品化するうえでは、大切な品質保証の範囲であるように感じました。ただし、人のほうに多様性があるため、万人に対して保証することは原理的には困難なので、平均値とばらつきで人の心に対する影響を明記するレベルになります。

そのため、良心にしたがって、少し大変な研究を行うことにしたのです。大変さの片鱗を少し示しますと、例えば、実験の参加者20名を選抜する時には、左記のような基準で選びました。

（被験者とその条件）研究デザインはランダム化比較試験とする。健康な男子大学生20名を対象とした。

コーネルメディカルインデックスを用いて、神経症的な要因を除去するためⅢもしくはⅣ領域（コーネルメディカルインデックスでは、Ⅰ、Ⅱの領域が心理的正常な範疇と考えられていて、本研究では正常な方を対象とするため省いた）を除外基準とし、毎日の就寝時刻が０時、起床時刻が９時±１時間以内に収まらない者は除外した。朝型夜型質問紙によって睡眠習慣が夜型であり、睡眠薬等の内服習慣を含む睡眠障害がある、飲酒・喫煙をしている者は除外した。色覚検査表を用いて視覚障害のある者を除外した。一定条件下で瞳孔の大きさを測定し、小さすぎる、および大きすぎる者を除外した。サンプルサイズの推定は、実験計画がほぼ類似しているChellappa（2011）の唾液メラトニンの結果を用いた。６５００Ｋと３０００Ｋの差が平均19・5、標準偏差７・６とし、検出力90％αエラー５％で推定した結果の必要な対象者数は、１群８名であった。それに基づき、１群10名、計20名とした。

特に、その内容を理解する必要はありませんが、被験者の選別だけでも過去の知見をもとに深い議論と考察を繰り返し、大学の倫理委員会で承認を得た後にようやくスタート地点に立てます。しかし、それを乗り越えると新しい結果が見えてきます。

この計測は、照明が概日リズムに与える影響を評価するために行うので、もちろん夜にやらなければなりません。そこで被験者には、16時くらいに集合してもらい深夜０時くらいまで行いました。ただ、概日リズムの研究であるので、実は実験当日の前日から被験者に対しては、寝る時間と起きる時間、そして朝食や昼食の時間をきちんと決めて摂ってもらいます。一般的には、メラトニンの最大分泌時間は起きてから15～16時間後くらいから始まり、その2～3時間後にピークを迎えるような周期があるからです。

実際の計測では、唾液から採取できるメラトニン濃度の変化、認知的タスクに対する反応時間、そしてＫＳＳ（Kansei Gakuin Sleepiness Scale）と呼ばれる眠気を評価できる質問紙などを用いました。その他にも心電などを計測して、交感神経と副交感神経の評価を行いました。それらの中で、特に興味深い結果について紹介します。

ここで結果を説明する前に、照明独特の「ケルビン（Ｋ）」という単位について少しだけ説明しましょう。これは一般には「色温度」と呼ばれるもので、厳密な定義では、完全黒体といわれる理想物質がその温度（Ｋ）になった時に発する色と対応付けています。Ｋという単位は学校で学んだと思いますが、絶対温度の単位です。また、照明の表現で、電球色・温白色・白色・昼白色・昼光色というのを聞いたことがあると思います。それらを色温度にすると、約３０００Ｋ、３５００Ｋ、４２００Ｋ、５０００Ｋ、６５００Ｋくらいになりますので、それらの電球の色を

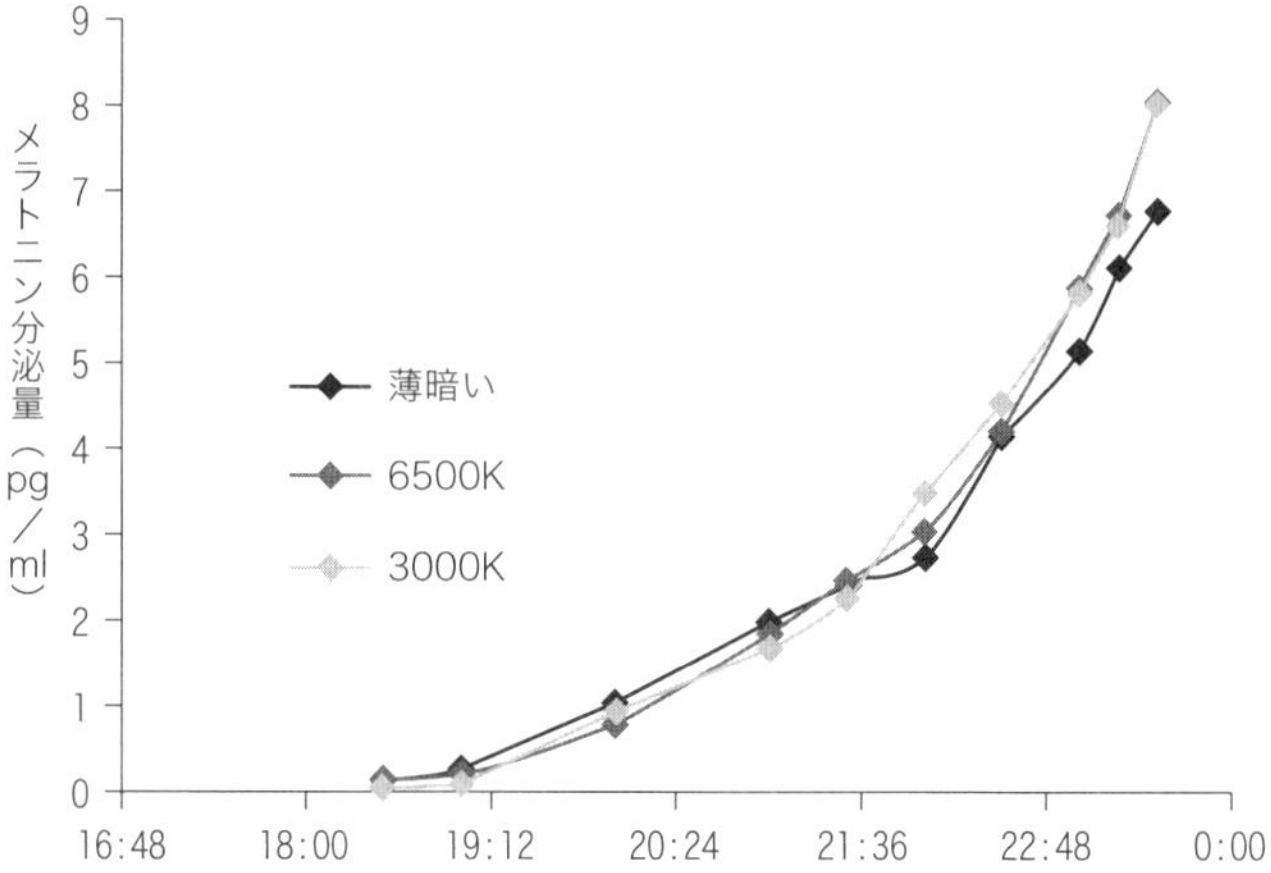

図33　LED学習ライト　メラトニン抑制に対する影響の検証

イメージしてもらえると分かりやすいかと思います。要するに、低い色温度は暖色系、高い色温度は寒色系です。

図33に、薄暗い状態（光ほぼなし）、３０００K、６５００Kの３条件における、メラトニン濃度の時間変化を示しています。この結果は、予想していた仮説とは全く違い、ある意味安心しました。それぞれの光の条件を見ても大きな違いはなく、製作した照明がメラトニンの分泌を抑制することは示されませんでした。これらは、過去の研究を否定するものではなく、反射光として目に入る光の強さが20から30ルックス程度であれば、生理的な変化を与えるほどではなかったと解釈できます。

少し期待していた、「夜でも目がさえ勉強・仕事がはかどる照明！」というようなキャッチフレーズは使えないという結論ですが、一方で睡眠を阻害し概日リズムを壊してしまうような影響も出ないであろうという結論になりました。エナジードリンクのような刺激的な製品ではありませんが、子どもにも勧めることができる照明であるということが、脳神経科学的にいうことができました。すなわち、概日リズムというメンタルモデルに適した、安心な照明器具であるということです。

光の色が認知機能に作用する

正直なことをいうと、この研究を実施するまで（光の）色が認知機能に与える影響については、あまり考えていませんでした。青色光のメラトニン分泌に対する影響は確認されていたので、人生の約30％を占める睡眠という重要な脳機能への安心を担保するというところへのみ、関心が向いていたからです。このあたりが、基礎研究に長年住みついている研究者の限界でしょう。

この研究は、（株）ベネッセコーポレーションとの協創で進めていて、前述のバンダイの小沼氏のように頭の良くなる○○とまではおっしゃいませんでしたが、どの光の色が学びに適しているのかと問われました。この頃には私は玄人として研究デザインを作ることには抵抗がなくなっていました。そのため、前に書いたようなメラトニンに関する計測だけでなく、夜の学びに適した光が選別できるよう、大学と連携して研究をデザインすることをすぐに引き受けました。ブレイン・サイエンスマークという科学と社会実装を直接つなぐ仕組みを作ったのも、新しい取り組みに対して敷居を下げる要因になりました。

『皮膚感覚と人間のこころ』（傳田光洋著、新潮選書）によると、私たちは光の色の違いで、オレンジ系は暖色あるいは白色系は寒色と表現するように、記憶に根付いた情緒的な作用は認めており、これは、ゲーテがいい出したといわれています。しかし、それが認知機能に影響を及ぼすということは本当にあるのでしょうか？

実は、外国の研究でいくつか報告がありましたが、残念ながらまとまった人数での日本人の結果は見つけられませんでした。また、彼らの研究では高い色温度でメラトニン分泌の抑制も起きるということなので、光照度の違いのせいか、あるいは、虹彩の色の違いによる光の感受性の違いなのか、ともかく私たちの行った日本人を被験者とした場合の計測結果とは異なります。そもそも、生活環境における光環境は、発達だけでなく生物の進化にも影響していますので、実際のところ海外のデータを持ってきてもあまり意味がありません。少し残念なのは、こういった人を理解する分野への研究費が足りないのか、あるいは人材が不足しているのか分かりませんが、日本人の精神にかかわるような本質的なデータが充実していないことは寂しいことです。

いずれにしても、日本人のデータが見つからないからには自分たちで作るしかありません。先ほどのメラトニンの作用からは、青色の光でメラトニンが抑制されて眠くなくなり、認知機能が亢進《こうしん》するかもしれないというようなことは考えていましたが、しかし、メラトニンそのものの睡眠導入作用はもともと強くなく、睡眠導入というよりもあくまで概日リズムを作る作用というのが一般的解釈です。たとえば、米国に行くと時差ボケを治すための薬としてメラトニンが販売されていますが、効果は1週間くらいして表れると書かれています。短期の出張であれば、帰ってきてから効きはじめるわけですから、あまり意味がありません。結果論ではありますが、先ほどのデータから光の色を変えてもメラトニンの分泌にはなんら作用しません。したがって、「青色の光でメラトニンが抑制されて眠くなくなり、認知機能が亢進する」という生理的な裏付けに基づく仮説はあっさりひっくり返ってしまったのです。

さて、メラトニンの分泌には影響しない光が認知機能には作用するか、というお題になりました。こうなると、ほとんど生理学的な裏付けはありません。私たちは覚醒度、認知的な情報処理速度、抑制する能力を計測できる3種類のタスクを実験デザインの中に埋め込んでいたので、それらを解析することにしました。すると面白いことが分かってきました。特に顕著に差が出てきたのは、抑制する能力を計測するための Go/no-Go タスクと呼ばれるものでした。ここでは、低い音が聞こえたらボタンを押し、高い音が聞こえたら押さないということをします。低い音の出現頻度を70％にすると、かなり難しく、他の2種類のタスクよりは高度なタスクです。このタスクは、行動の抑制（ボタンを押すことを我慢する）ができるかどうかが分かるのですが、この機能は前頭葉が深くかかわっていることが知られています。この抑制の能力は、人の行動の実行判断をして、行動を止める働きです。単純に考えるとブレーキのような役割ですが、人間を人間たらしめている理性を作る根本であると考えられています。

図34に結果を示しましたので、解読してみましょう。照明は、午後8時から8時半までは消して、薄暗い状態にしておきます。その後、色温度が高く青白い６５００Ｋの照明、または、色温度が低いオレンジ色の３０００Ｋの照明を点灯します。それぞれの色温度は、日を改めて計測を行いました。このグラフの縦軸は、先ほど説明した Go/non-Go タスクに対する反応時間になり

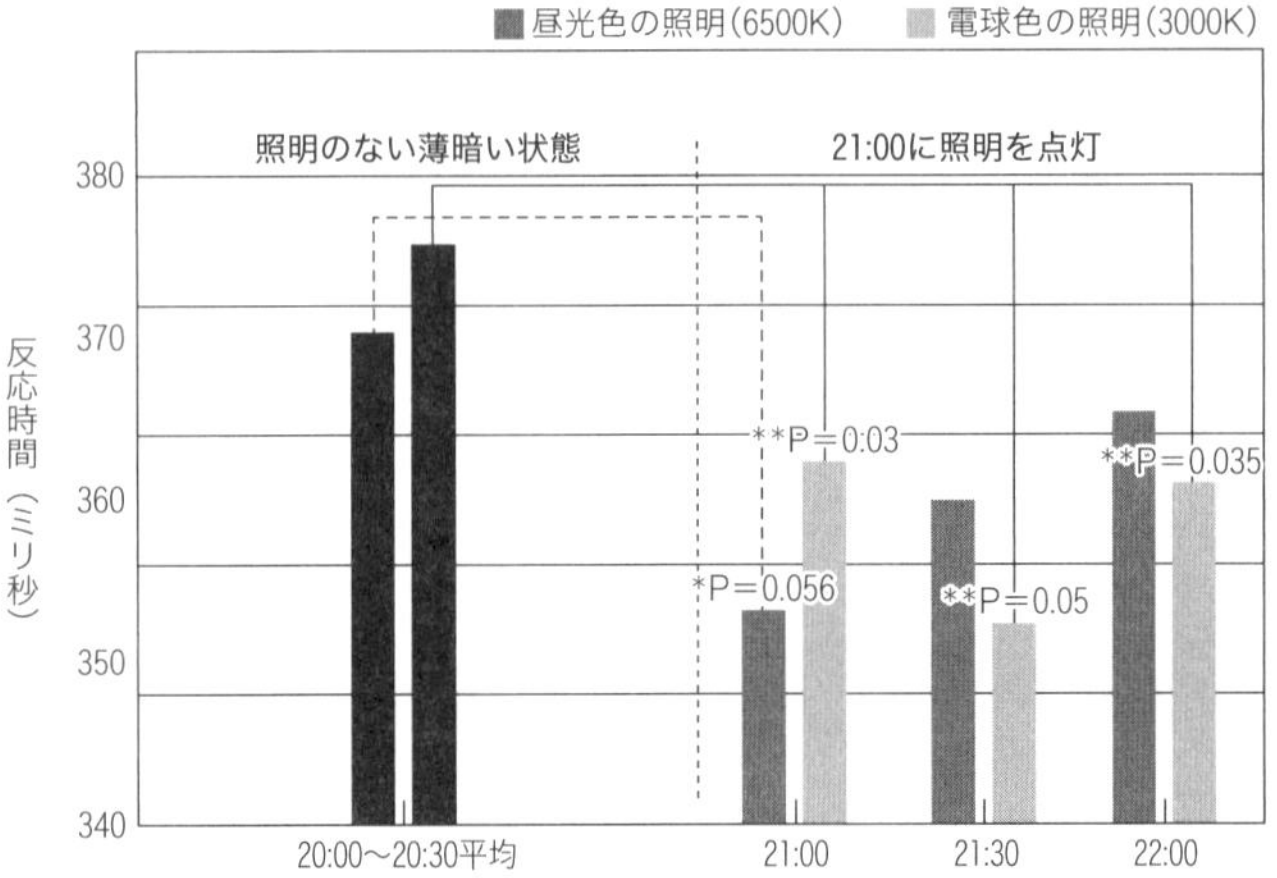

図34　各照明条件における音に対するGo/non-Go反応時間

ます。横軸は、計測を行った時刻になります。そして、それぞれの反応時間が、照明を点灯した時と比較して、統計的に有意に差があるかを検証しました。

まず、色温度の非常に高い、昼光色の6500Kの光の場合は、光を照射しはじめて最初の30分後は照明のない薄暗い条件で行った時よりも反応時間が統計的に有意に速くなっています。しかし、その後反応時間は戻ってしまいます。一方、色温度の低い、オレンジ色の3000Kの光の場合はまた事情が異なります。光を点灯して30分後に同様に反応時間が速くなります。しかし、その後も反応時間が短いまま維持され、1時間半その反応時間が短い状態が継続します。

図にはしていませんが行動実験による認知機能計測とともに、ＫＳＳという名称の質問紙による日中の眠気の計測とPANAS（Positive and Negative Affect Schedule）という名称の質問紙による積極性の計測を行いました。こういった心理的状態に対しては、客観的かつ生物学的・定量的に計測できる方法はまだありませんので、標準化されている質問紙を用いました。ただ、この結果を見るとGo/non-Go反応時間と比較的よく合っていて、色温度の低いオレンジ系の光の下でタスクを行っているほうが、覚醒度が高くさらに積極性が長い時間維持しました。行動実験のデータだけでも十分かもしれませんが、心理的な色合いとも合致するのは興味深いところです。

結論からいうと、夜使う照明としては、色温度の低い暖色系の光の下で作業したほうが、高い認知機能が維持されるということが分かりました。もちろん行動の抑制と非抑制の切り替えが速くできるようになったからといって、すべての認知機能が上がっているということはいえません。こうした光についての知見もまた、心にひびくデザインに大きく役立ちます。この研究結果に学んで、私は昼には昼白色の光を、夜仕事や趣味をする時はオレンジ色の照明を使用しています。また、今でも机上には開発して自腹で購入した照明を置いて使用しています。こういった光の脳への影響は自覚できないので、計測して示さなければなりませんが、最近ではスマートフォンやディスプレイに、オレンジ色を強くするナイトモードというのがさりげなく搭載されるようになりました。心を中心とした製品デザインが、世界では進んできていることを感じますし、産業分野でもっと意識を高く持つことができればQoLを高めることができます。

ここまでは学習という活動を前提にお話ししましたが、子どもや生徒の学びだけではなく、もちろん大人の仕事についても当てはめることが可能です。「学び」のデザインを超えて、心にひびく「社会」のデザインに寄与する可能性があるということです。

最後になりましたが、先に紹介した『皮膚感覚と人間のこころ』には、皮膚には光の受容体があり、そして、赤の光が表皮のバリア機能を回復する働きを発見したことも紹介されています。もしかすると、目だけでなく皮膚にある光の受容体も脳の認知機能へ影響を与えているかもしれません。たしかに、発生学から考えると、皮膚・神経・目は外胚葉から分化してきていますので、それらが機能的につながっていることもありえることです。そう考えると、内界の最前線に多種多様のセンサーを配置し外界を監視している皮膚が、認知機能の底にあって、自分という内界を唯一無二の存在として定義している意識の根源であるという仮説は成立しうると思います。

やる気メーターの開発

ところで、「学び」だけはありませんが、人はやる気がないと最初の一歩の行動が起こせません。サルトルの実存主義に沿っていうと、人間は物とは違うので個々それぞれに目的があって存在しているわけではありません。目的は自分で決める、あるいは、思い込むしかありません。そもそも、人類の行動や存在の目的は曖昧なので、何かをするにはやる気を持たないと行動できません。

私たちは、計算機のように、情報が入力された、あるアルゴリズムにしたがって出力しているわけではありません。何かを出力しようとする意欲（やる気）があって、初めて入力信号の処理にエネルギーを配分し、すでに学習で獲得したアルゴリズムを駆動します。理化学研究所で脳型コンピューターの開発を推進をされていた脳神経科学者の松本元氏は、「脳は出力型のコンピューター」といっていましたが、そういった背景があります。人は経験で学習したアルゴリズムだけでは満足できるアウトカムが出せない時に、新たな学びによってより良いアウトカムが出せるように行動します。当然、出力する対象が、創造的で困難なものであればあるほど、高いレベルのやる気が維持できなければなりません。

そうなると、心にひびく「学び」のデザインの中に、「学ぶ」効率だけを上げる環境技術だけでなく、やる気を作る技術ができると、人はとても幸せであろうと考えました。この技術を持てば、困難な課題も乗り越えていけるので、やる気を作る技術は必要です。やる気を作るために、褒める、お金などの褒美をあげる、ちょっと頑張れば手が届く目標を設定する、作業興奮を利用する（始めると自動的にやる気が出る）、他人の前で人を褒めない、など様々な方法が考えられます。また、その神経基盤も明らかにされはじめています[55]。やる気を出す方法・やる気を削ぐ方法はある程度分かってきているので、多くの場面でインセンティブを与えて人を駆動するよう制度設計時には配慮されます。しかし、それでも国内で約2万人もの自殺者がいる現状を鑑みると、とても幸せな国であるといい切るには躊躇します。もしかするとインセンティブだけにとらわれていて、やる気を削ぐ言動や社会的なシステムを見逃しているのかもしれません。人が他人の心を支え続けていくことはとても困難な作業で、支える側もだれかに支えてもらわないといけません。本来人間は、こまめにその人のやる気を引き出してもらえるような存在がないと生きていけないのではないだろうかとまで考えてしまいます。

やる気を頻繁に引き出す生活のデザイン、そして、やる気を削がない社会のデザイン。そんな未来を技術で作ることができれば、多くの社会課題を解決することができるのではないでしょうか。今はまだ難しいですが、今後起こる計算機の能力の飛躍的進歩や脳神経科学からの精神解明の進歩が、そういった明るい未来を実現するでしょう。計算機と脳を比較して、いつごろ計算機が脳のレベルに来るのかは最終章をご参照ください。

そういった未来を夢見て、今できることとして「やる気メーター」を創ることをめざして研究を進めていました。図35は、その研究成果のひとつです[56][57]。

この研究では、気分が人間の記憶に与える影響を調べました。内容に入る前に、この研究で登場する用語の説明を少ししておきます。この研究では、空間の短期記憶と言語の短期記憶という認知的な機能を活用しました。ここでいう空間の短期記憶とは、いったん頭の中に視覚的に場所を記憶していくという機能または能力です。日常生活において、私たちは常に場所の情報を一時的に記憶していることは、想像してもらうとよく分かると思います。他方、ここでいう言語の短期記憶とは、短期的に言葉を記憶する機能または能力です。ある言葉を一時的に保持しておく機能がないと、私たちは話し、聞き、読むことができなくなります。コンピューターでいうと、ど

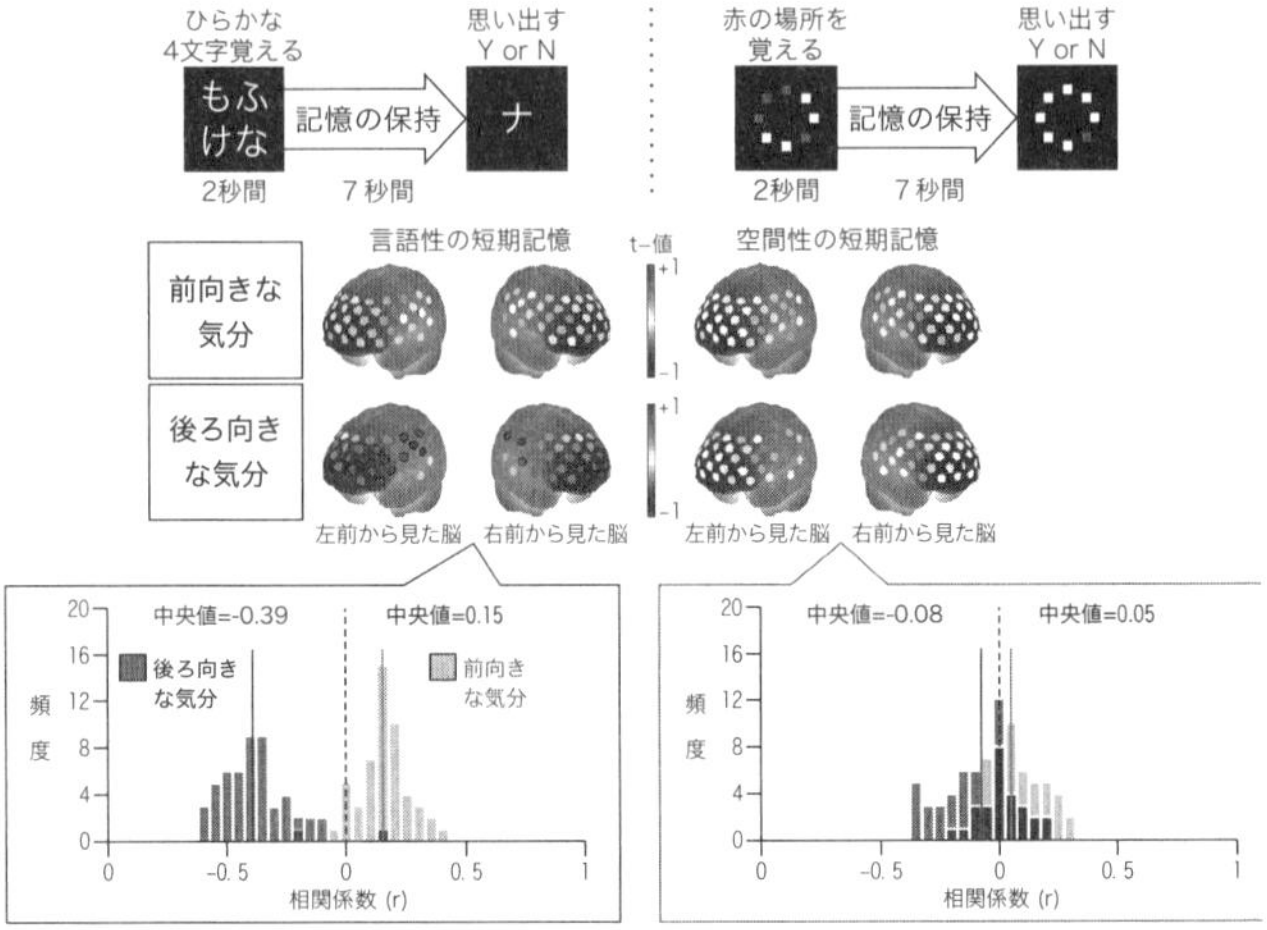

▶ 前向きな気分の時と後ろ向きな気分の時の相関係数のチャンネル数

図35　前向きな気分と後ろ向きな気分を脳活動から計測する（口絵カラー参照）

ちらもキャッシュメモリのような役割になります。

この研究では、健常な方の気分の良し悪しと、前述した2種類の短期記憶との関係を調べました。そして、前頭葉にあるそれぞれの短期記憶と深く関わる場所における血流の変化を測定しました。この研究で作った実験デザインの面白いところは、年齢や性別で分類してその脳機能の違いを見出すということではなく、個人の気分、すなわち今の心の状態で分類した点です。心（気分）の状態は、POMS（Profile of Mood State）という国際的によく使われる質問紙で分類することができます。※

※現在用いられている「POMS 2」では、65の質問で、①「怒り－敵意」、②「混乱－当惑」、③「抑うつ－落ち込み」、④「疲労－無気力」、⑤「緊張－不安」、⑥「活気－活力」、⑦「友好」の心的状態を評価できる。①～⑤は後ろ向きな因子であり、⑥、⑦は前向きな因子である。

私自身は工学が専門ですので、当時心に踏み込んでいくことについてはかなり悩みました。心の世界には、ニュートン力学も量子力学もありません。たしかに心を生み出す脳は物質でできていますが、物理学的背景も工学的背景もあまり通用しません。化学的背景は、動物実験を中心としてありますが、どれも心からはとてつもなく遠いのです。そして、第1章に書いたように、心は全身が生み出すものです。どこかが痛ければやる気がなくなりますし、脳だけではなく全身の状態を表象しているのが心であって、それを脳が生み出しています。一つの分子や物質が作っているわけではなく、非常に複雑なシステムの相互作用が生み出しています。しかし、心の問題は社会課題としては、第2章で紹介したように経済的そして社会的にもとても大きな課題であることが分かってきましたので、是非もなく進めることにしました。

さて、本題に戻ってこの研究の結果を見てみましょう。

図35を見ると分かるように、空間の短期記憶の機能を働かせた時に活動する場所は、ポジティブやネガティブな気分に左右されません。しかしながら、言語の短期記憶の機能を働かせた時には、ポジティブな気分の時とネガティブな時とで、脳の活動量や部位が大きく異なることが棒グ

ラフで示されています。とても不思議ですね。私たちもまだ理由はよく分かりません。例えば、ドーパミンという物質があります。パーキンソン病という高齢者に多い病気は、脳内の黒質線条体といわれる場所でこの物質の分泌が低下することが原因ということが分かっています。ただ、ドーパミンはそのほかにも様々な作用をしていると考えられています。例えば、短期記憶にドーパミンは重要であり[58]、また、ドーパミン不足とうつ病の関係も示唆されています[59]。

まだ状況証拠の状態ですが、ドーパミンの分泌が日々の気分と短期記憶の関係を結び付けているかもしれません。それでも、言語と空間の短期記憶で結果が異なるのはなぜなのでしょうか。

こうした実験の結果を踏まえて、私たちは「脳抑うつ指標」という指標を作成することを試みました(図36)。そして、その指標はPOMS質問紙で計測された抑うつ気分と高い相関をもつことが分かったのです。詳しい説明は割愛しますが、空間の短期記憶に関わる課題(空間性課題)を認識した場合の脳の活動量(空間性課題活動値)と言語の短期記憶に関わる課題(言語性課題)を認識した場合の活動量(言語性課題活動値)という2つの指標にもとづき、分母には両者を足した値、そして分子には前者から後者を引いた値を置いて、指標化したものになります。ここで活動値というのは、図35で示した光トポグラフィで計測した、前頭葉の特定部位における信号から計算します。

※一般的に、ある神経分泌物質の分泌だけに着目しがちですが、実際にはその分泌物質を受け取って神経活動を引き起こす受容体もとても重要です。その受容体がどこにどれだけあるかは個人差があるため、分泌物質の働きを理解してもその作用は定義できません。

脳抑うつ指標

$$\frac{\text{空間性課題活動値}-\text{言語性課題活動値}}{|\text{空間性課題活動値}|+|\text{言語性課題活動値}|}$$

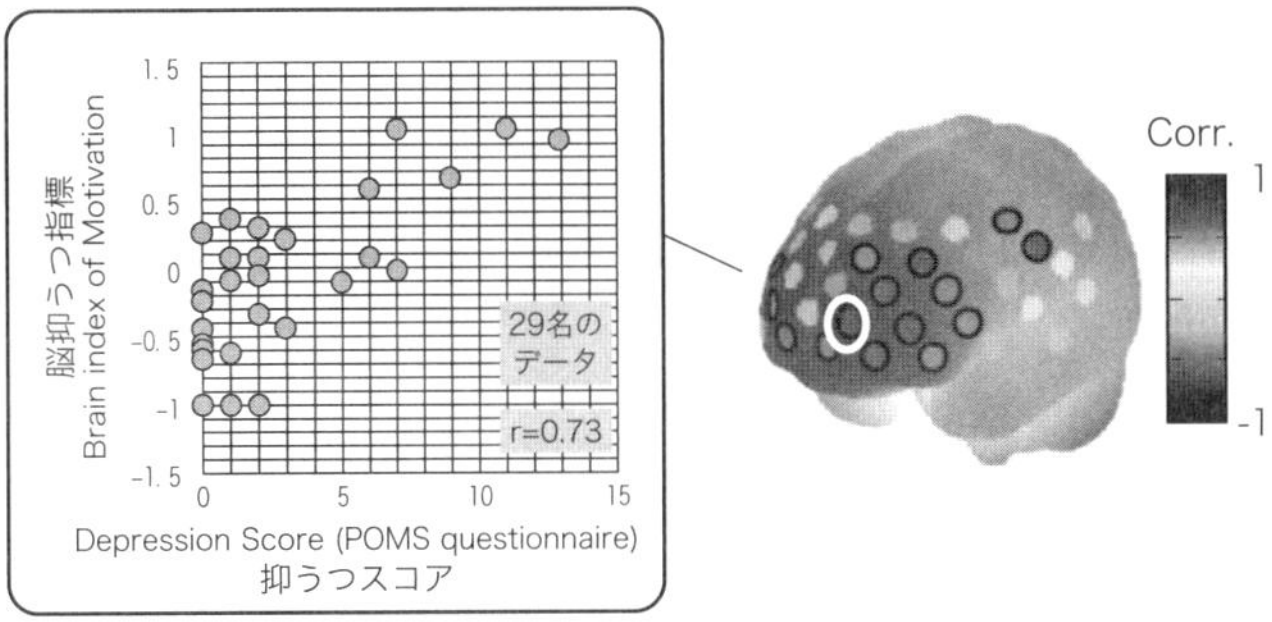

図36　意欲を作る技術に向けた脳機能計測による気分の指標化

覚えておいていただきたいポイントは、こうした指標を、脳の活動量＝脳内の血流量から科学的に根拠のある数値として示すことができるという点です。またこの指標は、単位がない無次元数にしてあるところも、工夫してある点です。もともと、光トポグラフィの計測値には、脳の構造の違いによる個人差が含まれています。そういった影響をできうる限り取り除くために、個人の基準データで割り算をして計算しています。

脳神経科学が発達する以前は、眠気や気分などを数値化するには、先に説明したPANASやPOMSのような質問紙を使うしかありませんでした。まだデータの蓄積や改良は必要ですが、こうした指標の精度が改善されれば体温計で体温を測るように、やる気を測る「やる気メーター」はいずれできると考えています。また、一般の方が使えるようにするには、前頭葉の機能について云々いうよりも、「やる気度10点満点の３・８」と単純に表記されたほうが分かりやすいでしょう。そういった、精度の高い表現型をめざして、このような研究が進んでいっているのです。やる気メーターが完成すれば、その指標を基準にやる気を作る技術も開発できるようになります。

もちろんまだまだ課題は残されています。しかし、気分という実に感覚的なものを可視化すること、具体的なデータとして認識することには少なからぬ意義があるものと考えています。なぜなら計測できてはじめて、やる気を作る技術の効果を検証できるので、最初に計測技術を作ることがとても大切なのです。度量衡が社会の協約として決められ、近代社会の成立に大きく寄与したことを考えても、人類が手に入れた計測・単位という概念はとても重要なのです。心に踏み込む計測技術は創っていくことができるレベルに来ていますので、心の度量衡が決まる日も遠い将来ではないでしょう。

第4章　心にひびく「社会」のデザイン

1. 脳と社会

社会課題を脳神経科学で解く

本章では、現代社会が抱える課題のいくつかに対して、脳神経科学を活用して、今後どのように取り組んでいけるのか、将来の話をしたいと思います。いうなれば、「心にひびく社会のデザイン」です。

前章までは、脳にはメンタルモデルが存在し、メンタルモデルに沿った環境設計によって人と機械の摩擦が減ること、そして、健やかなメンタルモデルを「遊び」「学び」で創るための戦略を実例に沿って紹介しました。そして、そのためには経験に頼るだけでなく、脳神経科学の知識を活用して、再度根本から考え直してみると着眼点が変わるということをお伝えしました。

　また、もう少し遡るならば、本書の冒頭で紹介したエレベーターの開閉ボタンのケースも脳の学びに関係していました。脳の学習には、学習に適したメンタルモデルが存在するので、学習しづらいものはいくら頑張っても学習しづらいのです。要するに、脳は何でも学習するのではなく、学習する対象にもある種の好みが存在しています。従来のエレベーターの開閉ボタンは、脳にとって誤解を招きやすい、脳の学習にはあまり好ましくないデザインの代表例なのです。ただ、前章までは、脳を一つの脳として考え、一つの脳に適切な環境や、一つの脳を適切に成長させる方法を考えるというアプローチでした。

　さて、それが社会という規模になると大上段な感じになりますが、基本姿勢を崩さず質素にそもそも論で進めたいと思います。社会は、脳を要素とした集合体ともいえますが、個々別々に関係なく動いているわけでもありません。脳と脳が相互作用しながら、社会が形成されているわけです。だからこそ、社会に適用されている様々な事柄のデザインも、少しでも脳にとって好ましいメンタルモデルに合わせてデザインしていくべきでしょうし、最小単位である脳に基づいて社会を設計していくことは理想であると思います。適切に考えられた社会デザインは脳にとって明らかに良い刺激となり、さらには、良い心を育む装置となり、結果として、より良い社会が形成され、より良い未来社会が生まれます。

社会の健全性の一つの指標として、自殺者数を挙げることができますが、日本では２０２０年までのここ20年で著しくその数が減少しています。しかし、それでも2万人弱の方が亡くなっています。将来、社会的要因による自殺者数0をめざすためには、脳神経科学に基づくメンタルモデルを社会のデザインに取り込むことが必須でしょう。

第1章で刑法は自由意志を基盤としているものの脳に自由意志があるかどうかは生物学的には解明されていないと書きましたが、脳神経科学の領域でも自由意志の存在証明がなされていないと考えられています。したがって、古のハンムラビ法典の時から何千年ものあいだ、法はその集団が社会秩序を維持するために、経験とその集団の信念に基づいて作るという方法論はあまり変わっていません。社会発展のためであれば、その要素である脳の特性という視座から考えることは、今後重要になってくると思います。社会契約の在り方に、脳神経科学を導入するということです。

そして、政治という分野は、社会において最もといって良いくらいに重要です。学術的な分野では、アリストテレスが、政治学を「最も高位なもの」としています[60]。しかし、心理学研究からは、外見や声の第一印象が良いほうが選挙で選ばれやすいと考えられています[61][62]。したがって、現状の民主主義が取り入れている選挙という方法論でさえ、再考したほうが良いのではないかと考えてしまいます。必ずしも選挙が悪い結果を招くというわけではありませんが、集団のより良い未来を作るために、選挙という手段が公平性を保っているともいい切れない部分があるということです。投票行為について脳神経科学の視座から再考することも面白いと思います。

外見の話を抜きにしても、例えば、少子化という社会課題を題材に候補者のインセンティブから少し考えてみましょう。もし私が政治家ならば、得票数が多い世代や集団に対して受け入れられる公約で当選しようとします。そうなると、今の日本であれば、高齢者層に対して受け入れられることを公約し、当選した暁にはその公約に反さないように行動します。したがって人口ピラミッドが崩れると、どんどんネガティブフィードバックがかかるわけです。本気で少子化を止めたいのであれば、全世代が公平に投票するように努めるべきという意見は正論のように思えますが、もちろん新生児や乳幼児が社会の制度まで理解して投票することはできません。

そこで、子どもの権利を公平に保つための、ドメイン投票方式というものが提案されています。この投票方式は、アメリカの人口統計学者、ポール・ドメインが考案したもので、子どもの投票権が親に委託されるというものです[63]。素人考えでは、少子高齢化が進む日本などでは、こういう投票方式の導入も検討すべき時代に来ているように思います。もしかすると、人口動態の是正に貢献するかもしれません。しかし、長年培ってきた民主主義の基盤をいきなり変えることはリスクも伴います。実際には、選挙方式の変更による投票行動の変化を、あらかじめ定量的に推定し、適正に機能することを確かめるシミュレーションが必要です。

こういった選挙行動に対する投票者と候補者へのインセンティブは、例えば脳内の報酬系への作用として脳神経科学的に明らかにできるはずです。社会の仕組みを作ったり改善したりするには大変慎重に深く考えなければならないので、エビデンスをきちんと積み上げて社会システムを再考する社会脳神経科学のような分野は必要となってきます。脳への投票行動に対するインセンティブの数理的なモデルができれば、あとは数値的にシミュレーションすることが可能になるので、社会をより良くする制度設計にもつながるでしょう。新しい社会システムを作るには、まず個々の脳の特性モデルを作成すれば、社会システムの介入効果を検証するようなことができるようになります。もちろん、脳へのインセンティブモデルには、個性としての多様性はありますが、統計的にモデルを作れば良いのです。

　また、高齢化における社会課題のひとつとしては、定年制の話題が出てきています。定年制には、いくつか素朴な疑問があります。最初にある企業で55歳と定年制が決められた１９００年前後では、平均寿命は43歳前後で、当時の新生児の高い死亡率を除いて計算しても、平均寿命は50歳前後です[64]。現代では、人生の長さが１００年に迫らんとしているので、定年後40年間仕事をしないというのは論理的にもおかしな社会、といいますか、経済的にも成立するわけがありません。一方で、社会参画は認知機能を刺激し自立を促すといった研究報告は多数ありますし、労働の期間を延ばすべきであることはあえて研究しなくても分かりますし是非もないような話です。したがって、高齢者が社会に積極的に出ていって経済を支えることに反対する人はいないはずです。問題は、年齢が上がった時の身体や認知能力に限界があるという点です。社会参画するには、その仕事に対して適正なレベルの身体的認知的能力が要求されます。そう考えると、その能力を維持あるいは拡張するトレーニング法や技術の開発は必要になってきます。私たちがその初期に事業化を手がけた㈱ＮｅＵ社では、超小型の光トポグラフィの装置と脳のトレーニングゲームを組み合わせるなどのサービスを始めています。まさに時代に即した新しいサービスを創り上げています。

　さらに、経済の分野では、主に購買行為につながることを対象としたニューロマーケティングという方法論が提唱されています。一般的には、購買意欲を上げるための、好き嫌いやブランディングの研究が脚光を浴びました。しかし、そういった目的の研究成果は、普遍的であるとはいえないので、結果的にはあまり成功していないように思います。なぜかというと、個人の好き嫌いは変化し、また個人によって異なるものなので、結局はいたちごっことなるからです。ある時の個人の好みを調べても製品寿命は長続きしません。現在は、どちらかというとメディアを活用して、その製品・ソリューション・情報を手に取りたくなるように介入していくやり方のほうが主流です。

このやり方に批判的な方もいるかもしれませんが、現実的には経済的な生態系ができることになり、社会的には良い話だと思います。本当に良いものであれば、好きになってもらって普及することは悪くありません。例えば音楽でも、好意を持たれる楽曲であれば、繰り返し聞いた（聞かされた）楽曲のほうを人は好きになることが分かっており、我々の社会ではヒット曲を作る手段として使われています。そういう意味では、人を虜にするメンタルモデルは理解されているとはいえませんが、ある業界では経験的な技術として使われているということです。しかし、もっと踏み込んで介入するのであれば、今まで見たことも聞いたことも味わったこともないものに対する初めての感覚、すなわち人の第一印象の理解を深めることで、より人が求めてしまうようにマーケティングできるようになるのではないかと思います。

ニューロマーケティングという消費者の無意識の心理にアプローチするマーケティングの方法がありますが、本書で紹介したおもちゃの例も、領域でいうニューロマーケティングの範疇に入れることも可能です。しかし、好き嫌いやブランド効果のように、脳のそして心の特性を評価し、その特性を活用するというだけにはとどめませんでした。この仕事は、脳の成長に貢献できるように脳神経科学の知見を製品設計に組み込むというコンセプトでした。このコンセプトが、ブームでは終わらず10年以上継続していることは、消費者にとって価値があったことの証明です。

もちろん、継続する要因はこのコンセプトによるものだけでなく、販売戦略やブランドの効果もあります。ただ、その側面だけで、０から始めた製品が、数年でそのマーケットの主役級となり、シェア1位の座を争うレベルになることは難しいように思います。消費者はサービスや製品に、楽しさとか快適さだけでなく、自分の子どもたちがより良く成長できるという本質的な価値を求めていると考えられます。人々が、製品やサービスに自分にとってより良い介入を求めるのは本質的ですし、その本質を活かして製品やサービスなどのシステムを作っていくことは、おもちゃのような分野以外にも通用する基本的なコンセプトです。

脳機能計測が教えてくれるモノや情報の社会的価値

ニューロマーケティングというキーワードが出てきたので、少しだけ私たちが行った関連する研究を紹介したいと思います。私は、ニューロマーケティングのあるべき姿は、その製品やサービスが社会に与える安全性と効果を科学的に評価することであると考えています。売れるためにどうするかというよりも、モノや情報への正しいアセスメント（評価）が核心であるということです。

おそらくみなさんの記憶にも残っていると思われる、社会問題にもなった出来事について記載します。１９９７年12月16日午後6時頃、テレビで人気アニメを見ていた方のうち、６６０人にも上る方が光感受性発作を起こすという事故が発生しました。光感受性発作は、視覚に飛び込んできた光の刺激に対して脳が異常な反応を示し、てんかん発作のような症状が起きるというものです。てんかんの一種と呼ぶには不確定な要素がまだまだ多く、現時点では発作という表現が正確であるとされています。

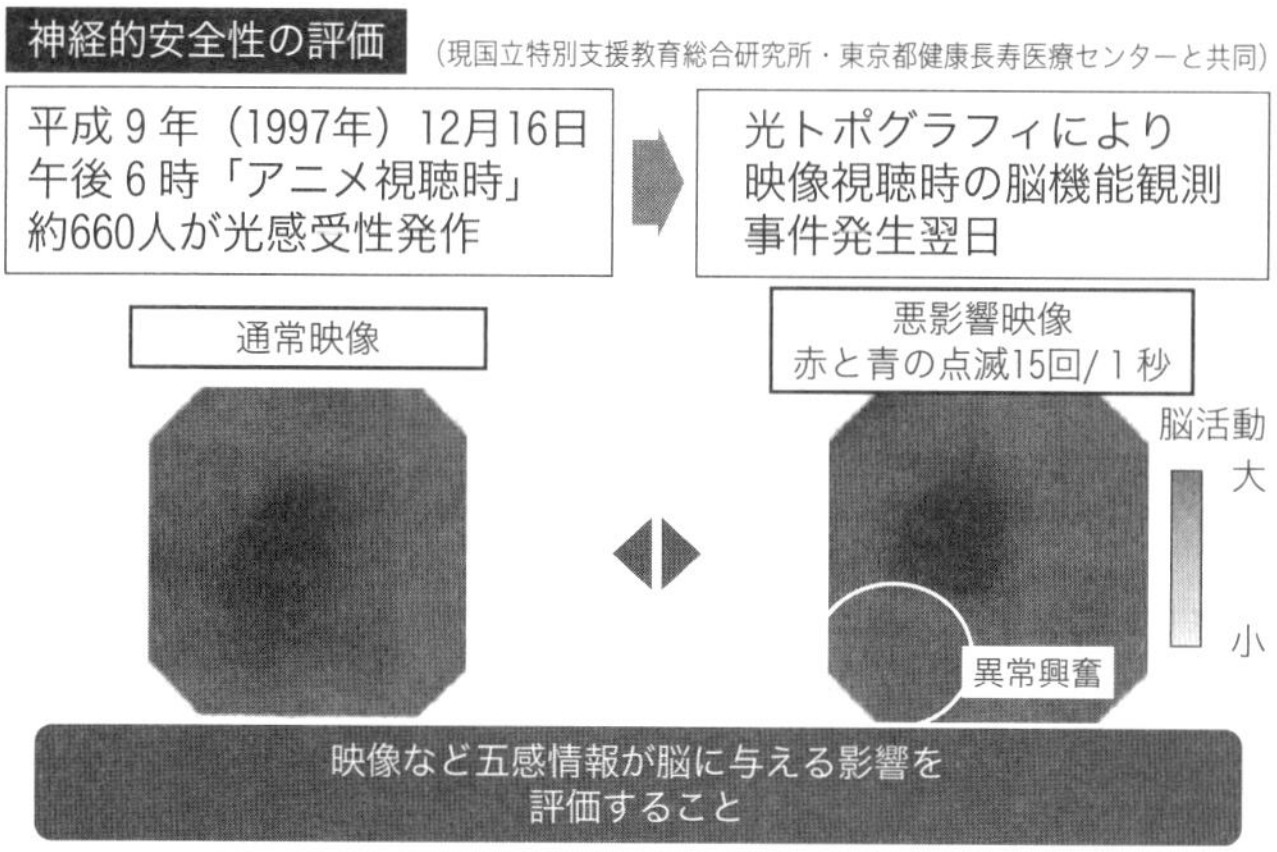

図37　脳機能計測による情報アセスメント（口絵カラー参照）

事故が起こったすぐ後に、テレビ局から私たちに、その映像に対する脳機能計測により脳の働きを可視化できないか依頼されました。私たちは翌日には渥美義賢氏（医師）の指導の下で、光トポグラフィを用いた計測を実施し、問題となった映像を目にした時の脳の状態を測定しました。その結果を示したのが図37になります。

６６０人の脳に悪影響を与えた犯人は、１秒間に15回も赤と青が激しく点滅を繰り返す場面であることが分かりました。その時の脳が、明らかに異常な興奮を示している様子を認めることができたからです。なぜなら、通常の映像を見た時と比較して、後頭部にある視覚野と呼ばれる映像を処理する部位の一部分（図37の異常興奮と示した場所）で、脳の血流が著しく増加していたからです。

このような画像や映像の評価のことを「情報アセスメント（評価）」と呼んでいます。ここでの文脈に即していうならば、脳に悪影響を及ぼす映像を評価してあらかじめ除去することが大切です。現在、放送されている映像は、ハーディングマシンというシステムでその安全性がチェックされるようになりました。そのため、公共の放送の映像にはほとんど問題はないでしょう。ただ、ネット上の動画は個人が自由に配信できるようになっていますし、ライブ映像に関してもその除去はかなり難しいように思います。また、バーチャルリアリティや拡張現実感が発達してくると、見たこともない映像が出てくるわけですから、同じような問題は起こり得ます。仮想空間ではすべて作られた環境になるわけですから、製造物としての責任が発生しますのでとても配慮が必要な問題です。

現在の脳神経科学のレベルでは、映像の悪影響をすべて予測することはできません。したがって、先ほど紹介したハーディングマシンは経験的に悪影響があるものを選んで除去するしくみです。いうなれば問題が起きた事例を集めて、アセスメントの指標にしているということです。しかし、いずれは問題が起きる前に予測するレベルまでいかないといけません。そのためには、問題が起こる脳のメカニズムを理解することが必要です。

次の事例は、安全性のアセスメントではありませんが、脳機能計測をすることで情報機器の社会的な価値が理解されたという事例です。脳と映像の関係について、まずはディスプレイ開発に関わるお話をします。この研究は、東京大学の相澤清晴氏が中心となって当時の主要なテレビメーカー（シャープ、東芝、日立）そしてＮＨＫと共同で実施した、映像の悪影響に関する総務省の国家プロジェクトの研究結果です。先ほどの映像事故が一つの引き金になっていますが、このプロジェクトではまさに映像をアセスメントすることを目的とした研究開発をし、映像酔いなども対象として、映像の生体に対する悪影響についての基礎研究が進められました。

多くの課題が設定されていましたが、その中で新しい多視差式の裸眼３Ｄディスプレイの評価が行われました。従来の二視差式とは２つの異なる視点から映像を捉える方式ですが、多視差式とは３つ以上の異なる視点から映像を捉える方式でより多くの人が様々な角度から立体感を感じられるように工夫された技術です。そして、それぞれの方式を採用して視覚に画像を届けた時、どのように脳に異なる反応が出るかをこのプロジェクトでテストしました。

方式による見え方の違い、あるいは、本人には分からないものの脳の反応では違いが出るかもしれないと考え、光トポグラフィを用い計測しました。視覚の機能は、主に後頭葉で処理されますので、光トポグラフィを後頭部に取り付け視覚野の脳活動を測定しました。最初の解析結果は、あまり差が出ておらず、脳から評価するのは難しいのだろうか？　と疑問を持ちました。うまくいくと、人の知覚・認知にかかわる、装置や情報の感性評価に使えるので、少し残念な気持ちでした。

しかし、データを詳細に解析していると、少し首をかしげることがありました。それは、同じ画像を見ているのにもかかわらず、二視差式でも多視差式のディスプレイでも反応が強くない人がいるのです。そこで、奥行きを判定する行動実験の結果を見直しました。すると、全くの想定外だったのですが、立体視がうまくできない人がいることが分かりました。そこで、もう一度立体視がうまくできない人とできる人で区別して解析をし直しました。その結果が、図38になります。この図の上段の結果は立体視がうまくできる人（どちらのディスプレイでも奥行き判別課題の成功率が80％以上）で、図の下段の結果は立体視があまりうまくいかない人です（どちらのディスプレイでも奥行き判別課題の成功率が50％程度）。こうやって見ると明瞭で、立体視がうまくできる人は多視差式のほうに強い反応を示しており、立体視がうまくいかない人はどちらのディスプレイでもあまり強い反応が出ません、この結果を見ると個人の立体視に関する認知能力の感性評価ができそうです。

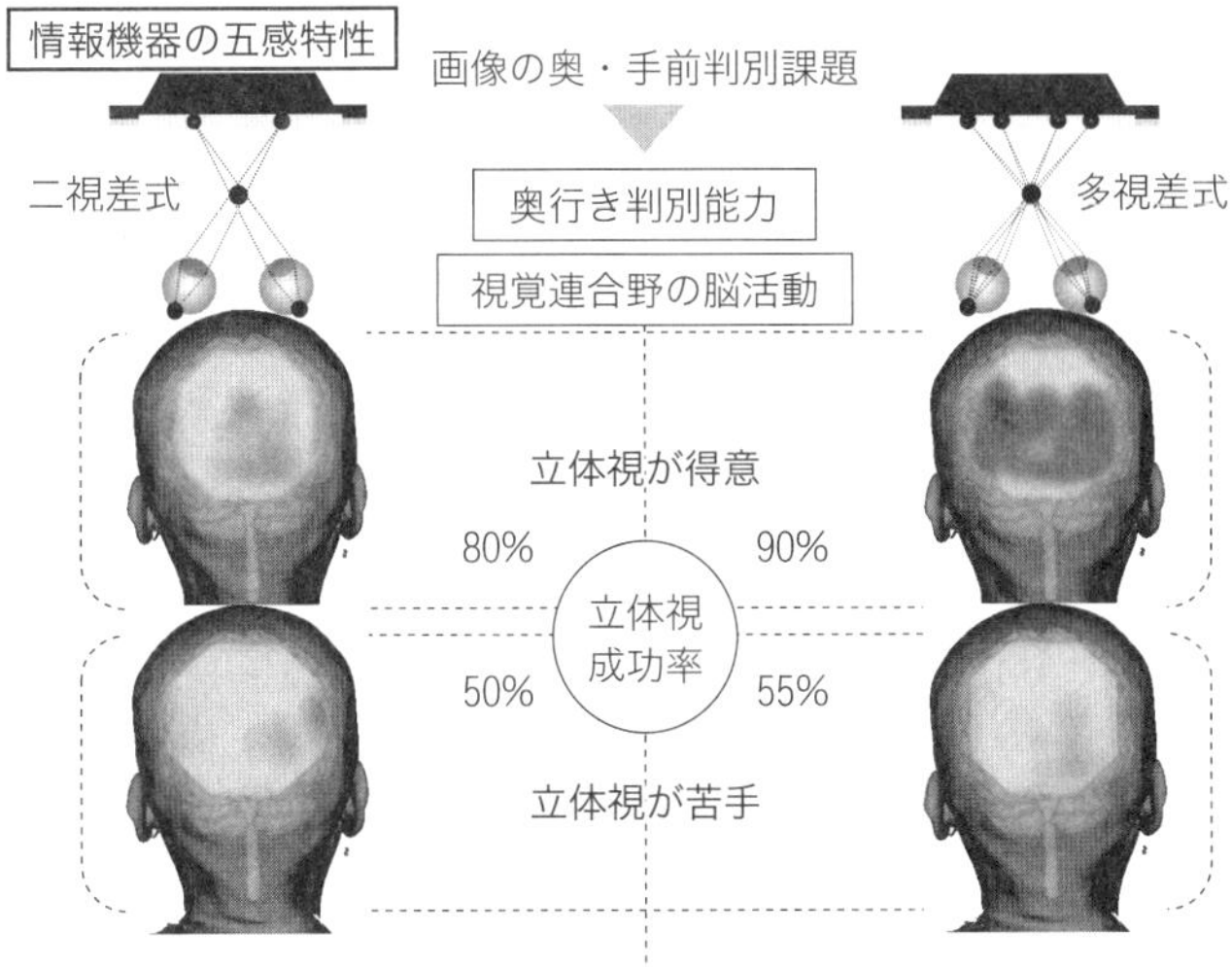

図38　脳機能計測によるインターフェース評価（口絵カラー参照）

それ以上に、この結果を見て、当時の技術レベルの裸眼の立体ディスプレイは普及しないだろうと感じました。なぜなら、ディスプレイという製品の性格上、万人が使えないものは意味をなさないからです。現に、今もスタンダードになっていないのは、この辺に理由があるのではないでしょうか。このことからきちんとデザインされた実験を行うと、脳機能計測を製品のマーケティングに使えるということが分かります。

この結果は、人の感性の多様性からきていますが、人と機械の接点であるインターフェースに関しては、もっと人間の個性的な部分に光を当てた研究を拡大しないといけなかったのです。このことは、この研究をしなければ気が付かないことでしたし、そもそも立体視がしにくい人がいるということすら考えなかったことです。これも、常識に対して思考停止してしまった悪い例です。

人の立体視は、両眼の視差だけでなく、焦点調整した際の水晶体の厚みのフィードバックなど、いくつか複合的な情報を集めて脳が処理した結果です。よく考えると、視差だけを使った立体ディスプレイでは満足がいくものはなかなかできそうではありません。脳の処理プロセスと異なる、メンタルモデルにそぐわない形のものはあまり成功しないということです。斬新でとてもレベルの高い魅力的な研究や技術開発はたくさんありますが、社会に普及するものが少ないのは、人の視点が欠けていることが多いからです。これからの製品の仕様には人の特性が正確に包含されていないといけないのです。これは、製品や商品に対して、好きとか嫌いとかをアンケートで調べるような話ではありません。特に、立体ディスプレイのように、脳をだます技術に関しては、人の視覚の認知特性が実装されていないと同様なことが今後も起こるということです。脳神経科学を活用した感性的な評価は、新しい情報や機器を作るうえでサボってはいけない重要なプロセスであることはお伝えできたかと思います。

ここまでは、視覚の機能そのものに対するアセスメントでしたので、一般の方が感性という言葉から受けとる印象からは遠かったかもしれません。実は、脳機能の計測ができるようになると、快不快が計測できないか、好き嫌いが計測できないだろうかと相談を受けることが多くありました。たしかに、心の営みとして、それらが計測できるととても嬉しいことは分かります。快不快や好き嫌いの研究でよく使われる方法論は、あらかじめ調査された「快不快」「好き嫌い」の画像を見た時の脳活動を計測するというものです。ただ、「快不快」「好き嫌い」こそは、普遍的なものではなく個人が経験から育んできたものですから、大部分の人が好きな画像を見せてその脳活動を計測しても意味がありません。まさに、みなさんが思うような、感性の範疇の研究ですね。

第一印象の研究は大事であることはすでに書きましたが、初めて見たり聞いたり味わったりしたものに対する第一印象は、作られた好き嫌いではないので、第二印象・第三印象を調べていくことで、好きや嫌いが作られるプロセスが見えてきます。その端緒となる脳機能計測を駆使した研究が、中央大学の加藤俊一氏の研究室で進められています[65]。言語の研究をするのに、生まれてすぐの新生児の言語獲得の研究から始めるのに似ていますね。しかし、単純そうで実際にはとても難しい研究になりました。

ここで紹介する研究は、各個人の好みは異なるという前提で、通常の脳機能計測とは少し異なる実験デザインで行っています。通常の脳機能計測では、平均的にはどこが活動するのかというのが興味の対象で、脳を活動させるために等価な情報刺激を与えます。しかし、好き嫌いのような感性的な部分は人それぞれ多様であるという前提に立つしかありません。そこでこの研究では、初めて見る映像をいくつか見てもらい、好きである映像、嫌いである映像を、見た後に決めてもらいました。そして、好きな映像を見た時、あるいは、嫌いな映像を見た時の脳活動を分析するのです。好きな映像を見た時の脳活動は、人によって見た映像が異なるので、脳内で映像を分析している視覚野を計測してもあまり意味のない結果になるでしょう。

それでは、脳のどこを計測すれば良いのでしょうか？　あまり前例がないので、うつ病患者の研究結果を参考にしました。快不快の情動に関する脳の場所は、一般的には深いところにあり、帯状回などが関係していることが知られています。しかし、光トポグラフィで計測できるのは、表面にある大脳皮質ですので、帯状回の制御に関与していると考えられている前頭前野（おでこのあたり）の計測を行いました[66]。

図39にはこの研究の計測風景が示されています。図中にも記載があるとおり、20代の学生14名

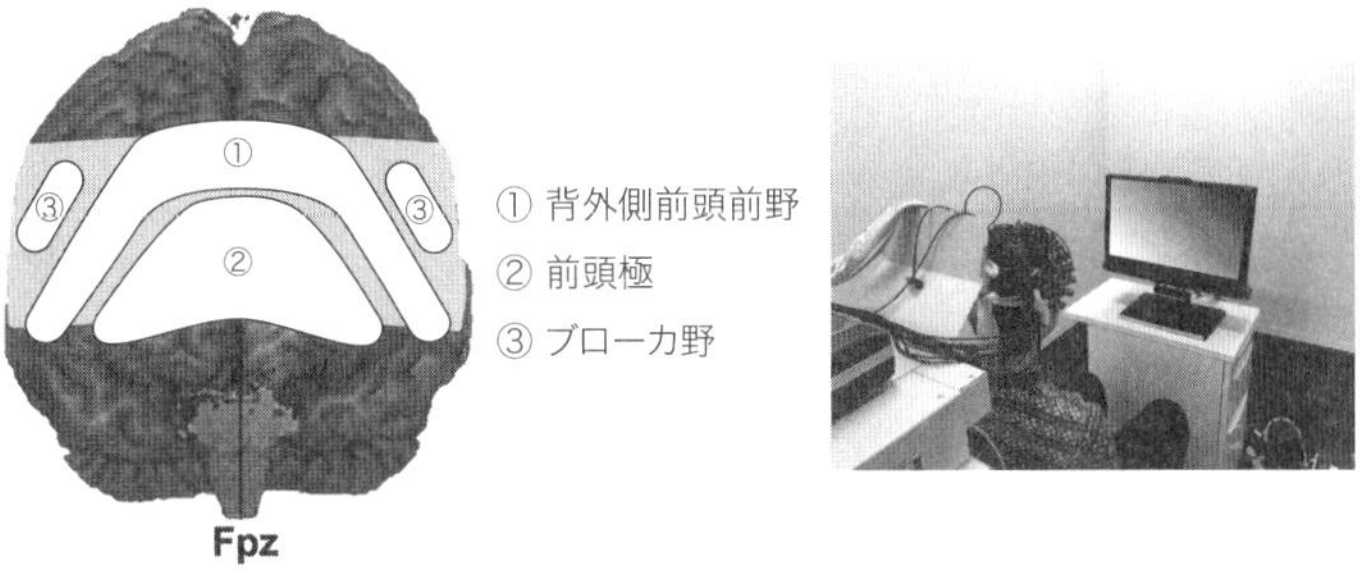

・被験者：20代学生14名（男性11名、女性3名　22.93±0.88歳）
・刺激：生まれる前に放映されていたテレビCM ⇒ 良い印象、普通の印象、良くない印象

図39　光トポグラフィによる第一印象計測風景（見たことのない古いCM）

1．右背外側前頭前野では良くない印象のCM視聴時には他の印象のCM視聴時と比較して脳活動が有意に高い

2．前頭極では良い印象のCM視聴時には他の印象のCM視聴時と比較して脳活動が有意に低い

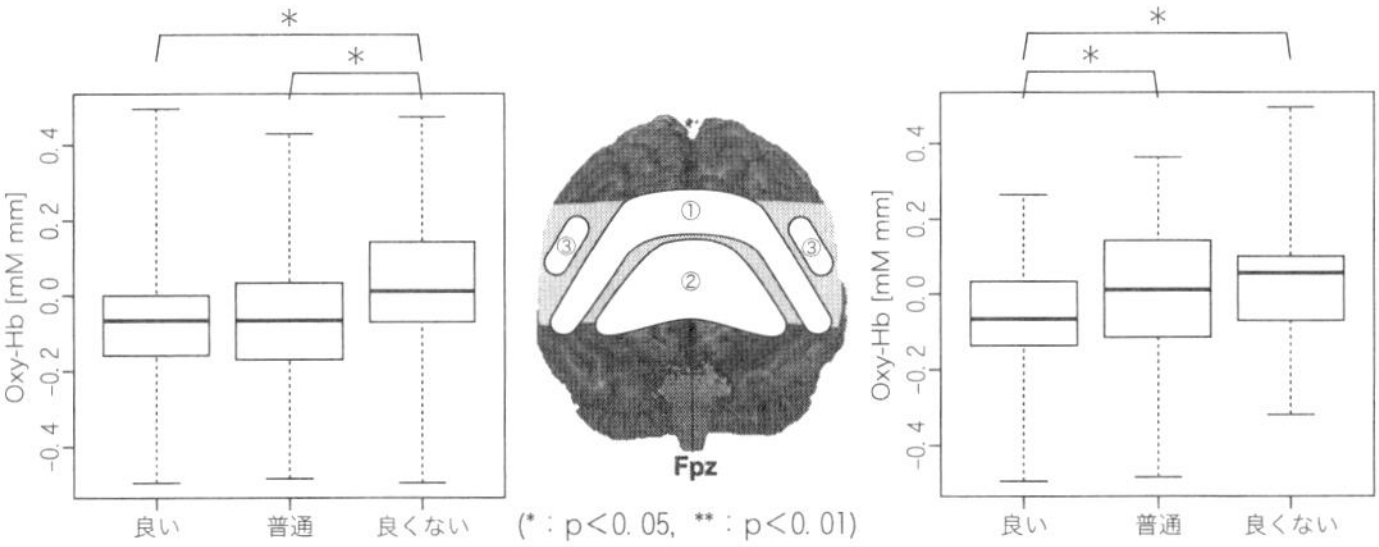

図40　映像の第一印象を評価する方法の確立

がこの実験に協力してくれました。

図40に示した実験の結果からとても興味深いことが分かりました。図40の左のグラフから解説すると、良くない印象のCMを視聴している際には、脳の右背外側前頭前野と呼ばれる場所の脳活動が、良い印象、そして、普通の印象の映像を見た時よりもずっと高いことが分かりました。これは他の印象のCM視聴時と比較して、明らかに有意の差であると認めることができます。また、右のグラフからは、良い印象のCMを視ている時には、前頭極と呼ばれる場所の特に中心での活動が、他の印象のCM視聴時と比較して、有意に低くなることが確認されました。

興味深いのは、良いあるいは普通の印象の信号が負の信号になっているということです。対照実験では、意味のない全く同じ強度の視聴覚映像を視聴してもらったので、自分にとって意味のある映像を見るとこれらの脳活動は相対的に低下するということです。ひょっとすると、自分のメンタルモデルに合致しないとこの領域の活動が上がり（自分にとって無意味な映像や意にそぐわない映像）、合致すると低下する（自分にとって意味のある映像）という解釈が可能かもしれません。そのため、良い印象の映像を見た時ほど、脳の活動が低下している可能性があります。まだ断言するには、計測した人数が少ないですし、また、検証実験は行わなければなりません。

ただ、好き嫌いや、快不快という心理的状態を、メンタルモデルとの合致度で定義すると、個人差を無視して議論ができるようになるので、この仮説が合っていてほしいと願っています。

第２章で紹介したように、発達の研究をしていると、理由は分からないものの、普遍的な性質が見えることがあります。実は、第一印象の研究と同じように、右背外側前頭前野というところで血流が下がるという現象が赤ちゃんでもありました。５〜６か月くらいの赤ちゃんに、女性の「いないないばぁ」とアンパンマンの「いないないばぁ」を見せたところ、アンパンマンの「いないないばぁ」のほうが大きくこの部位で血流が下がったのです[67]。

この現象の解釈として、乳児期には、知らないリアルな女性よりもデフォルメした画像のほうをより好む、すなわちメンタルモデルに合致するということがいえるかもしれません。実は、デフォルメされた画像を理解し強く反応するのは、人間の脳の一つの特徴です。ただ、乳幼児期は、丸い形を好む、顔の絵を好むことなどが分かっているので、そういったことも影響しているのかもしれません[68]。もう少し研究が積み上げられ、メンタルモデルへの合致度を評価できる脳指標が見つかると、その応用範囲はかなり広がりそうです。

余談ですが、こういった、研究領域は日本の言葉でいうと「感性」の研究になります。ただ、

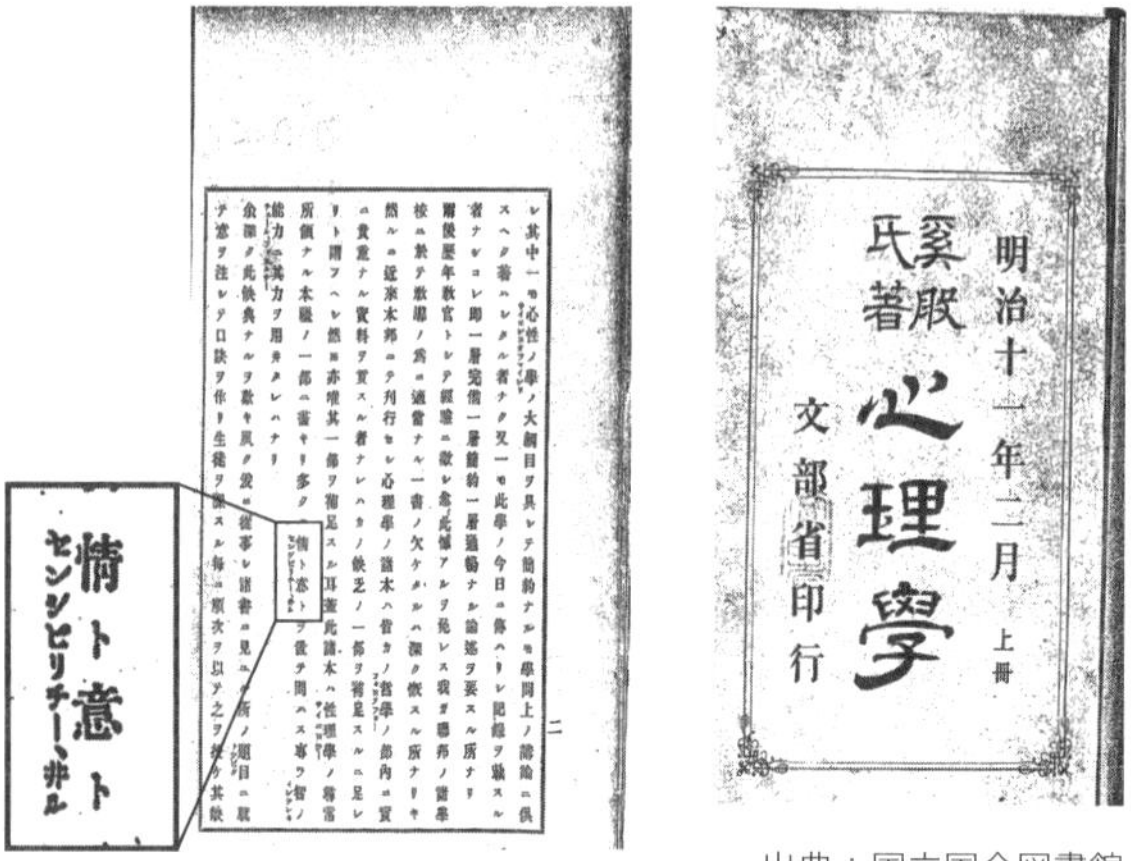

出典：国立国会図書館

図41　西周による『心理学』の訳

「感性」という言葉は定義が難しく、最近では英文にする時はKANSEIとそのまま使われるようになりはじめました。カントの定義した「感性」はSensibilityになりますが、しかし、日本語の「感性」はカントのいうSensibilityとは違うという意見もあります。一方、ジョセフ・ヘーヴンの『心理学』（明治11年2月刊行）を日本で最初に訳した西周は、Sensibilityを情と訳しています（図41参照）。言葉が混乱するわけです。

こういったことは、学術界でよく考えてもらうこととして、もし自分のメンタルモデルに合致する環境情報を見つけることができたらどうでしょうか。もしそうなればニューロマーケティングだけでなく、自分とつながるべき人、商品やサービスなどかなりスムーズに見つけられるようになります。これこそ個人にとって高いQoLを実現できる重要な手段です。メンタルモデルの科学から「メンタルモデルとのフィット度」を定義できれば、基準を設定しにくい快不快や好き嫌いという言葉を使わずに個性を客観的・定量的に扱っていけるようになります。

2. 脳と計算機

ここまで、法律・政治・経済から、そして、ちょっと飛びましたが人の感性まで、社会を構成する諸分野について、脳神経科学で再考できそうな社会課題事例を紹介しました。これらの社会課題に向けて、脳神経科学の研究が一層深まり社会に実装されていくことになるでしょう。それぞれ、その分野の専門家からは異論や反論もあると思います。しかし、実際のところ、社会は人のメンタルモデルを把握しないで創られてきたわけですから、メンタルモデルの科学の進展に伴い、その知見は社会の様々な分野に貢献できると考えています。というよりも、人間を中心に考えた時には、そうせざるを得なくなってくるでしょう。社会を構成するものが、人や人以外のもの、それらの動きに秩序を与える社会契約の3つとすると、この3つを対象とする研究分野を社会脳神経科学として取り組んでいく必要がありそうです。

心にひびく社会のデザインは、遺伝×環境×時間の因子で作られる多様なメンタルモデルに適合する、人以外のものの仕様を決定し、そして人の心に良い影響を及ぼす社会契約の在り方をめざしていくのです。物質科学では物質の特性を知り、その特性を活用して物を作ってきました。社会も人工物ですので、社会の構成要素と脳のモデルの関係性から、社会をデザインするというのは、人間中心の社会を考える上で必要なことになっていきます。

それでは、社会の仕組みを考える社会脳神経科学という分野ができる前提で、少し未来のことを述べたいと思います。今世の中で注目されていて、社会に大きな影響を与えると考えられているのは、自然現象を除くとコンピューターの進化が挙げられます。

これまで、脳を中心に書いてきましたが、遅ればせながらここで脳とコンピューターについての最近の知識を整理しておきましょう。なぜかというと、2つ理由があります。1つ目は、現段階でのコンピューターというものは、人間の脳の働きとは異なるということをお伝えするためで

Brainの語源：古代ギリシャ語の$\beta\rho\varepsilon\chi\mu\acute{o}\varsigma$「頭の前の部分」に由来
定義：動物の頭部にある神経系の中枢

・脳は約140億個の神経細胞の結合からなる
・１つの神経細胞は1000－10000個の神経細胞とシナプスで結合している
・結合は化学的でありChemical Computerと言える
・消費するエネルギーは約17Wで体全体の約20%

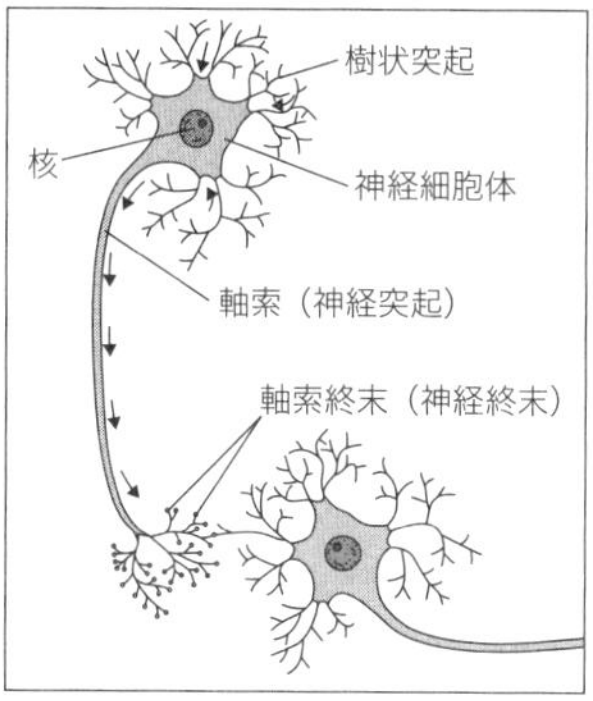

図42　脳とは？

す。２つ目は、猛烈な速さで進化していくコンピューターや人工知能（Artificial Intelligence: AI）が、心にひびく社会のデザインにどのように貢献すれば良いかを考えたいからです。

図42に示したとおり、脳を表す英語であるbrainは、古代ギリシャ語$\beta\rho\varepsilon\chi\mu\acute{o}\varsigma$で「頭の前の部分」の意味に由来しています。そして、やや硬い表現にはなりますが、正確な脳の定義は「動物の頭部にある神経系の中枢」ということになります。中枢とは、もっとも大事なところ、中心となる場所、といった意味を持っています。つまり、脳とは、およそ１４０億個にも上る膨大な数の神経細胞が結合して出来上がったひとつの塊であり、人間の神経のはたらきを司るもっとも重要な器官なのです。ちなみに、脳神経科学は脳だけを対象

とする学問ではなく、末梢神経まで包含しているので結果的に全身ほぼすべての臓器との関連を理解しなければなりません。

脳を構成する約１４０億個の神経細胞は、その一つひとつが、１０００から１００００個の異なる神経細胞とそれぞれ結合しています。理科の授業などで話を聞いた方も多くいらっしゃると思いますが、それらの結合が生じる場所をシナプスといいます。それにしても、１４０億にさらに１０００から１００００乗まではいいませんが……とにかく膨大な数に上ります。いずれにしても天文学的な数字で、それでも、私たちの１４００ccの頭蓋骨の器にそれだけの数の神経細胞が入っていて、無数の接続があることだけでも十分に神秘的です。だからこそ、まだまだ脳には謎が数多く存在します。もっと正確にいうならば、まだまだ謎のほうが圧倒的に多いのが現状です。

ちなみに神経という言葉は、小川鼎三の解説によると、[69] 世奴《セイニュー》（Zenuw：筆者註：オランダ語。原著は漢字）にあてた語で、神気の神と経脈の経とを合わせたものと記されています。これは、有名な話なのでご存じの方も多いかもしれませんが、驚くべきは神経が精神（神気）とかかわっていることが当時から知られていたということです。１７７４年に解体新書が発刊されたわけですが、西洋では脳神経系の存在と神経系に運動性と知覚性の２種類があることは、紀元前３００年頃のアレキサンドリア医学のヘロフィロスが既に認知していましたし、脳はその中枢であることも理解されていました。現在使われている第４脳室の筆先という名前を付けたのもヘロフィロスです[70]。現代でも、心の座は心臓にあると思っている人も少なくないですが、二千数百年以上前に心と脳神経のかかわりを理解していたことは、驚嘆に値します。そういう意味では、脳神経の働きを正確に理解しはじめた今、脳神経の機能が織りなす心を生物学的に捉えて、人にとってクオリティの高い生活環境を構築していく戦略は、永きにわたる蓄積があるわけですから、そろそろ受け入れられはじめても良いでしょう。

脳神経科学というこの神秘的な器官へのチャレンジは、その存在が知られて２０００年経っていても未だ端緒というべきかもしれません。脳の無侵襲計測技術が整いはじめて知識獲得が加速しはじめましたが、これからがむしろ本番に差し掛かっていく道のりになります。詳しい仕組みは割愛しますが、神経と神経の接合部にあるシナプスの結合は化学的な反応で結合しています。

このような特徴から、脳のことを「Chemical Computer（化学的コンピューター）」などと呼んだりする場合もあります。神経細胞の結合の数をコンピューターの部品にたとえるならば、それがはたしてどれだけの規模になるのか、ちょっと想像がつきません。それくらい脳は複雑な構造をしているということを、ここではどうぞご理解ください。

それでは、脳を構築している神経の話をしてみたいと思います。驚くべきことは、神経系の情報伝達の遅さです。情報伝達のスピードは有髄、無髄、太さで変わりますが、遅い無髄神経で0・2m／s～2m／s、早い有髄神経[※1]の場合には、5m／sから120m／sの伝達速度です。私の100m走よりも遅い場合もあるということです。光ケーブルでは光の速さで情報を伝達していますので、毎秒約20万キロメートル（石英中の光速）のスピードで情報伝達をしています。コンピューターは半導体で構成されていますので、一概に情報伝達速度だけで議論するのは間違っていますが、いずれにしても脳を構成する個々の生物的情報処理デバイスは、私たちが使用しているコンピューターと比べるととても遅いシステムです。

しかし、今のところコンピューターで心を生み出すことはかないません。計算機はひたすら計算はしますが、毎秒16・5J[※2]のエネルギーしか使わない脳とは同じことはまだできません。では、いつできるようになるのでしょうか？　計算機の情報処理効率の観点から考えてみたいと思います。機械と人の役割はそもそも異なるので、この比較はナンセンスな部分もありますが、少し我慢して読んでください。

※1　ミエリン鞘と呼ばれる絶縁性の高い鞘が、数㎛から数十㎛毎に神経を覆っている神経のこと。神経パルスは、この数㎛から数十㎛毎に跳躍して伝導するため高速になる。

２０１９年11月時点で、最高の処理性能を示すコンピューターは米国のDOE/SC/Oak Ridge National LaboratoryにあるＩＢＭ製のコンピューターといわれています。このコンピューターの性能は、実効の性能値148,600Tflops/sです。[※3]つまり、１秒間に15京回の浮動小数点演算ができるということですので、単純計算の能力で言えばはるかに人間の計算能力を超えています。

一方で、オックスフォード大学のグループが、コンピューターで脳を完全模倣するレベルを10段階に分け、どの程度の計算能力が必要かを推定しています。[71]

このレポートでは、生理的な現象までは考慮しない神経ネットワーク（レベル４）を模倣するためには、10の18乗flops/s必要で２０１９年に達成すると推定していました。先ほどの世界最高速のコンピューターは１・４の17乗flops/sですから、大雑把にいって今より約10倍速くなるとレベル４は実現できます。Oxford大学の推測は２００８年に発表されたものですが、かなり正確なことが分かりますね。

仮に、神経ネットワーク（10レベルあるうちのレベル４）を模倣することができる計算能力10の18乗flops/sを脳の計算能力と定義して話を進めます。私自身この定義が適切なのか判断でき

※２　基礎代謝1700kcal／日、脳の消費エネルギーを全身の20%、1calは4.184Jとして概算した。

※３　TOP500、2019年11月公表値。

ませんが、ほかに良い定義が思いつかないので本書ではこの数値を脳の計算を実現できる計算速度とします。

では、計算処理のエネルギーで考えてみましょう。先程の世界最速のコンピューターは、毎秒10,096,000Jが必要です。こちらの方は、人間の脳の約61万倍のエネルギーを電力として使っていることになります。極めて単純に考えて、脳と同等の性能を出すためにまだ10倍遅いわけですから、先ほどのコンピューターを10台分必要だとすると、電力エネルギーは毎秒100,960,000J必要になります。格差を生まないよう、一人一つずつ自分の脳の代用としてこのコンピューターを持つと空想すると、77億個（２０１９年現在の人口）の計算機が３６５日稼働することになるので、年間の総エネルギー使用量は100,960,000J/秒×3600秒×24時間×３６５日×7,700,000,000個＝２・４５×10の25乗Ｊ（①）となります。

ところで、現在の世界の年間エネルギー需要総量は、約４・０×10の20乗Ｊですので全く足りません。[72] ここで、地球を一つの人間とみなして、情報処理に使用してよいエネルギーを、人間の脳が体の20％のエネルギーを使用しているのと同じように、世界の年間最終エネルギーの20％程度を情報処理に使用してよいエネルギーと仮定します。そうすると、情報処理に使ってよいエネルギーは、年間約8・0×10の19乗J（②）ということになります。この目標設定だと現状のコンピューター技術で脳と同程度の情報処理をさせると、①÷②＝約30万ということになりますので、約30万分の1の省エネコンピューターを開発しなければ、一人に一台脳と同等の計算機を普及させるのは難しいことになります。

したがって、コンピューターの情報処理効率を約30万倍上げることは、実現不可能とは思いませんが、人間と同じような神経活動を模倣できるような計算機が開発され、普及するまでには、時間がかかりそうです。仮に18か月で2倍のムーアの法則にしたがって、コンピューターの情報処理効率も改善していった場合、２０４７年くらいに現在の30万倍の情報処理効率を達成します。そして、人間の脳と同等の情報処理効率（４１１万倍の情報処理効率の向上）が実現するのは２０５２年ごろになります。

今回は世界最高性能のスーパーコンピューターと比較しましたが、実はNvidia社の最新の自動運転専用の計算機の計算能力と消費電力（カタログ値）から同様に評価すると、同じ仮定で２０４５年頃には人間の脳と同等のレベルに達します。競争が激しい、民生領域の技術進化のほうが、速く進むかもしれません。ただ、この計算は現行技術の進歩の変化からの外挿に過ぎず、途中間違いなく熱の問題などが出てくるでしょうから、超電導デバイスのような技術的飛躍は必要になると思います。いずれにしても、地球上のエネルギーの問題とデジタル社会が招く情報処理量の爆発は密接な関係にありますので、情報処理のエネルギー効率の向上は今後イノベーションを起こすうえで、核心的な課題になることは想像に難くありません。

私が仕事を始めて最初に任された仕事の一つは、照射された光が脳内をどのように通っていくかを計算することでした。その計算に使用した大型計算機が、今ではスマートフォンの性能に劣っていますので、お示しした期待するべき進歩は起こりうるでしょう。2050年頃には世界の人口は100億人に達すると考えられています。その時それぞれの人が自分の脳と同等の計算機をスマートフォンのように持ち、それらが常時稼働したとしても年間5・0×10の18乗程度の電力消費なのでエネルギー消費から見ても許容範囲でしょう。

これまでの技術の発展をみると、自動車の移動エネルギー効率が、ひとつの良い比較例のように思います。移動という意味では、回転体を使用した自動車はすでに人間の移動エネルギー効率においつきそうです。原油1リッターで30km走れる車はもうすぐできるでしょうから、その場合、1台に約3～4人乗せられると、ほぼ人間のジョギング時の移動エネルギーと同じになります。人間を模倣した技術で実現したわけではありませんし、しかもより速く走ることができるわけで

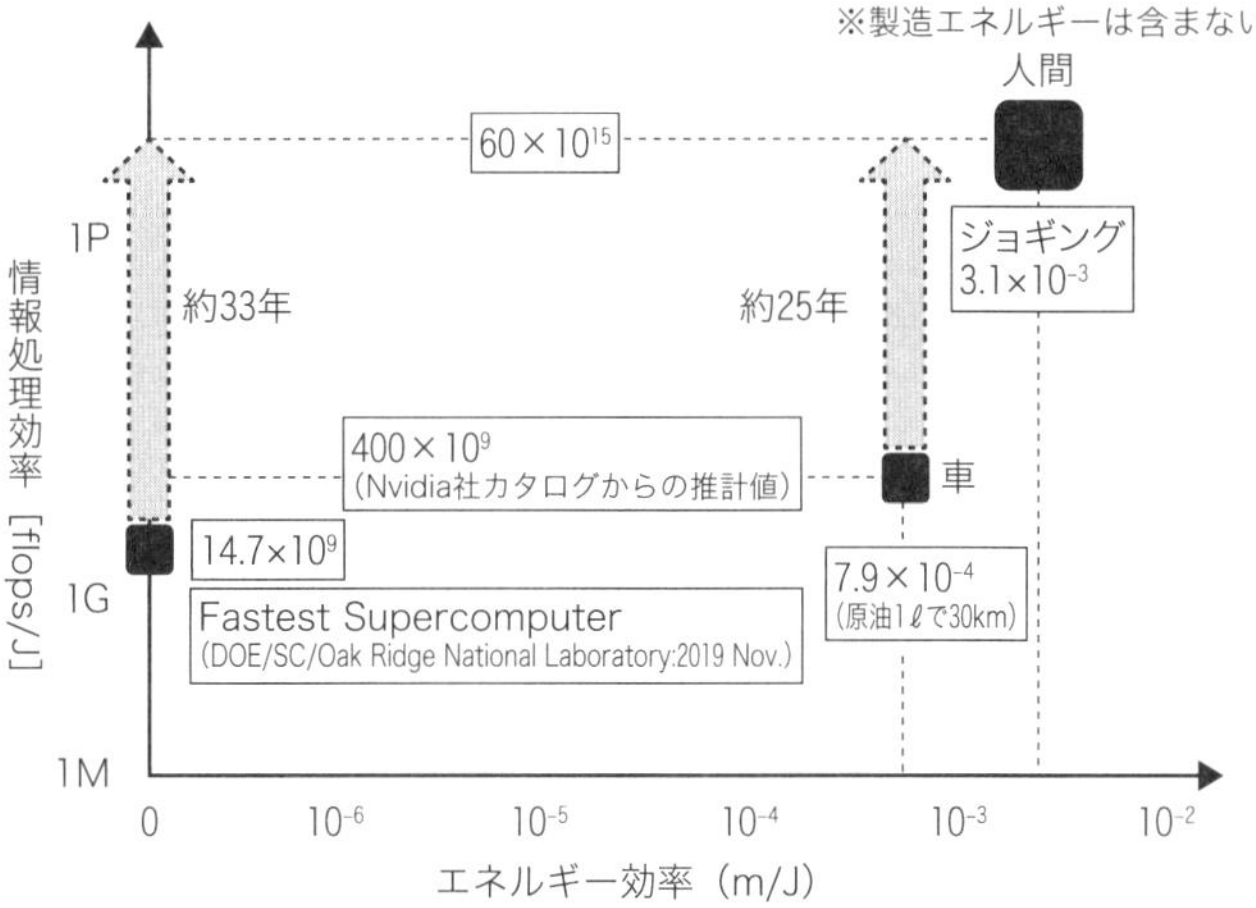

図43　機械が個性をもっと輝かせる時代

す。図43に、横軸に移動エネルギー効率、縦軸に情報処理効率として、人間と計算機および車と比較しました。

歴史を繰り返すなら情報処理の技術も、脳を模倣せずに合目的に技術進歩を蓄積していくルートのほうが主流になるかもしれません。しかし、事象を知覚し認知し、さらに概念化して言語を紡ぐような機能が、はたして、脳を模倣しないでできるのかは、まだ分かりません。したがって、山頂に登るルートの選択はたくさんありますが、計算機の分野では脳の模倣と非模倣を両方研究開発し、登っていくことになります。

例えば、私たちは社会の風刺画に描かれて

いる著名人の顔や姿を見てこれは誰々が描かれている、とほとんどの人がピンとくると思います。その絵を初めて見たにもかかわらずです。特徴をデフォルメし、誇張して表現していても分かるわけですが、現在のＡＩに著名人の写真を覚えさせて、風刺画を見せてもだれであるかはたぶん判定できないでしょう。人間の脳は、知覚した情報を概念化して蓄積し、その概念を組み合わせて一番近い解を導き出す力が優れています。そして、その延長線上に言語があります。言語は概念を記号化したものです。

また、脳はその言語から再び、概念に戻して知覚情報を再構成する力も持っています。私たちが、井上靖の『しろばんば』を読んで、なんとなく情景を思い浮かべられるというのはそういうことです。こういった機能は、今後解明して機械化できるのか、あるいはするべきなのかは、重要な研究課題となります。概念化の機能はある程度機械化できていますので、うまく活用するとすべてを学習する必要性はなくなります。その結果、データの蓄積や処理のためのエネルギー消費量を、著しく低下させることができます。

ただ一方で、その精度を保証できるかどうかは分かりません。第１章のエレベーターボタンの場合、現状のＡＩなら完璧な精度で、かつ、より速くボタン押しができるはずです。ちなみに、最新のＡＩを用いるまでもなく、従来型のパターンマッチングでもできます。今のＡＩには、デザインが「開く」という概念を所有しているかどうかは関係ないのです。ＡＩは、このデザインは「開く」という意味だと学習すれば、それを忠実に再現します。

人間の場合、「開く」という動作をする時に、頭の中で「開ける」という概念のメンタルモデルが働き、その際「開ける」という動作の意味に近い「開く」という概念を近くに引き寄せ、「開く」の概念を構成する知覚情報のメンタルモデルも引き寄せてきます。それから、そのメンタルモデルの意味を包含する画像と比較して、選択するわけです。とても面倒くさい働き方をしているのです。要するに、脳内のメンタルモデルは、経験から作られた言語的・シンボル的な意味にこだわって判断してしまうのです。

したがって、現状のＡＩがやっていることは人間と同じではなく、ＡＩは学習に忠実で好き嫌いがないという意味では、人間をすでに凌駕しています。そのため、ＡＩの機能を上手に使うことで、多くの産業や事務処理に活用できることが期待されています。脳とは違う正確性を発揮し、好き嫌いで判断しない、要するに生物学的なメンタルモデルが必要のない作業をどんどん代用できるわけです。そして、入力に対して、単純かつ正確に覚えたとおりに応答するという作業を繰り返すことができるのです。

現在のＡＩと人間の脳の働きの違いについて、少しお分かりいただけたでしょうか。ＡＩが進歩すると、それで制御されるロボット技術も当然ながら進歩していき、デジタル化された社会は加速度的に進展していきます。そうなると、機械は自律化し、学習も自律化し、膨大なデータを学習して多くの煩わしい作業や操作を人間よりはるかに正確に実行してくれるようになります。未来の変化は多くの他書に記述されていますので、ここではあまり多くは申し上げませんが、いずれ人間と同じように事象を言語化する知能も獲得し、意味にこだわって判断できるようになるでしょう。そうなると、自然現象の理解も意味のつながりとして把握するようになるので、創発的な知能が生まれてきそうです。

高度な知能を持った機械に求める役割

次に、少しだけ妄想力を働かせ、将来の機械の話をしてみたいと思います。ＡＩが発展すると職を奪うなどといわれていますが、私は負の側面より正の側面のほうが大きいのではないかと思います。人類は石器を手に入れ、道具とともにある部分は進化し、ある部分は退化してきました。自分で作ったもので自分を変えていく稀有な種です。

私たちの良き指導者であり、世界的な脳神経科学者である久保田競氏は『手と脳』（紀伊國屋書店）の中で霊長類の手指の進化の過程を調査し、「指が自在に使えるのはヒトが最高である。中でも指の可動性がきわだっている。」、そして、「何もない地球上にあらゆるものを構築し、文明を築き上げた」と結論しています。手先の解剖学的変化が道具を使えるようにして、それが知の進化に影響を与えたということは、完全な証明は難しいですが魅力的な説で、説得力があります。

現段階のＡＩは、入力に対して正しい答えというものだけを学習します。したがって、機械と人がつながると、多くの学習をした機械は人の間違いが分かるようになります。例えば、本書で紹介したエレベーターのボタンデザインの押し間違いを、エレベーターのカメラを通して観察する知能がいたとします。人が開閉ボタン押しするところを画像として捉え、反応時間や誤操作などを学習すると、人は現状のボタンデザインでは間違えることを理解します。機械学習で学んだ

ＡＩは、開閉ボタンと開閉は一対一で対応付けられているので、間違えることはないのに、人は間違える。この場合、人はあのデザインに対して「開く」という意味とを結びつけることができないことを機械が学習できます。すなわち、人間の脳内には、エレベーターのボタンデザインのメンタルモデルが用意されておらず、さらに、学習できないことから、そのメンタルモデルを作ることができないという結論を導き出せます。もちろん、ここまで行くには、言語で代表されるような記号を使った処理をしないと、実現できません。

右の例は、「心」というには少し大げさかもしれませんが、少なくとも人の認知能力を機械が把握していることになります。そして、２０５０年くらいには、人の脳神経活動を超える計算ができる能力を持った機械を、一人一台ずつ持てる状況になっている可能性が高いのです。その時にその機械は何をするのかを想像してみましょう。ＡＩが人の思考力を超えたら、大きく２つの役割を担うと考えています。

１つ目は、よくいわれているように知的業務の省力化です。知的労働であるが煩雑な仕事、例えば議事録を作成する、業務日誌を書く、スケジュール調整をするなど数えればきりがありませんが、それらが自動化していくでしょう。自転車ができ、車ができて、同じ時間で人間の足より、より遠くへ行くようになったのと同じです。多くの研究者や技術者が、それらに向けた技術開発を進めています。なぜなら、こういった仕事を省力化できることで、もっと創造的で独創的で自分の好きな活動に人間は時間を割けるようになるからです。

知的業務が代行されると、人はものを考えなくなるという、想定可能な課題はあります。例えば、業務記録をつけなくなると、起こったことの反芻と反省をしないので知的な進歩が起きなくなるような心配があります。身体については、車やエレベーターに乗りすぎて身体が衰えるといった心配と同じですね。

現代のように車やエレベーターなどが普及した社会において、実際に体力が落ちているのかを調査した結果があります。新体力テストの年次推移[73]からは、35歳から49歳を除くと、ほぼ横ばいか右肩上がりですので、車やエレベーターなどができて体力が落ちたとはいえないようです。知的な作業も機械が担うようになると、例えば客観的かつ画一的に業務記録をつけてくれるので、標準化された言葉で記録されている記録同士の比較もしやすくなりますし、人同士がその記録を使って相互確認と反省を正確に行うということに時間が割けるようになります。

２つ目は、それほどいわれていませんが、社会を円滑に動かす機能を担うと考えています。実際のところは、こちらのほうが社会的な価値が高いでしょう。先ほど書いたように、人がもっと創造的で独創的で自分の好きな活動に時間を割けるようになるということは、すなわち個性の重要度が増すということにほかなりません。様々な知的作業が自動化されると、個々がより深く考え、より個性を発揮することができるようになるからです。一方で、個々の個性的な才能をすべて輝かせることは難しいことです。その個性にピタリとはまる受容体のような個、製品、サービスは、必ずしも近くにあるとは限らないからです。

約30年後に人の脳と同じ消費エネルギーで人の神経活動を模倣できる機械が、四六時中その所有者に寄り添っていることを想像してみましょう。今あるスマートフォンのような位置づけですが、その時には、それはスマートフォンと呼ばないかもしれません。しかしそれは、あなたを最もよく知っている機械になるはずです。また、計算能力も高いわけですから、その場でかなりの計算処理ができるわけです。すなわちその頃になると、身近にあるその機械が個々人のメンタルモデルを理解してくれている可能性が高いのです。そこまでできるようになると、その機械が、その人の個性を最大に発揮できるように、その人の心（Mind）と人、モノ、情報・機会（X）など、あらゆるものとの接続（Link）を支援することができるようになります。その人を中心に考えた知能、Mind -X Linkという情報処理技術ができ、あなたとあなたを包容する受容体的存在を引き合わせてくれます。その中でも、Mind-Mind Link（心と心をつなぐ）技術は、社会のデザインというテーマにおいては中核となります。そして、今のところ、これはあまり手のつけられていない領域でもあります。

冒頭に紹介したように、社会的関係性がＤＮＡの変異を起こすような事実は、計測技術やその方法論が進歩すると、今後も多くの証拠が見つかってくるでしょう。社会の変革に伴う環境変化が与える生物学的な変化には、より一層注意を払っていく必要があるように思います。機械が追求する利便性や生産性に加え、機械が人の社会性を良好にすることを支援し、人と人、人と集団、集団と集団の関係性を良好にするというような未来を、第一義的に作っていくことはとても重要だと考えています。そのためには、人の社会性の成り立ちや成長を理解し、どのようにしたら人間関係を良好に育んでいけるのかが重要な研究対象となるでしょう。

高度な知能を持つ機械ができた時に、私はこれらの役割を機械が担ってくれることで、人では行き届かないすべての個性をより輝かすことができるようになると考えています。もしそうなれば、ただの一人も見落とさない、個性を輝かせることができる高度な包摂社会が実現できるはずです。そのためには、人の心を理解し、その心に手を差し伸べ、人の心と心をつなぎ、社会を滑らかに駆動する知能が必要になると考えています。いま、それをできるのは人間だけですが、意外に人と人をつなぐのは、感情や損得で動かない機械のほうが上手かもしれないと思っています。

自分を理解してくれる知能を受け入れるか

人は、人が作った新しい文化や技術にアレルギー反応を起こすことがあります。これは、一種の文化の免疫反応のようなもので、これまでしみついてきた文化に異質なものが入ってくると攻撃してしまう特性があるからでしょう。今では信じられませんが、昔は、小説は人を堕落させるから良くないといわれ、私たちの世代は漫画も同じようにいわれていました。子どもの頃は隠れるようにして読んだものですが、いずれも世界に通用する普遍的文化になっています。今の世代だと、ゲームやスマートフォン依存症のように、技術に対する風当たりが強いのは、みなさん知ってのとおりです。ただ、免疫反応にさらされて、生き残った文化や技術しか本物ではないともいえるので、文化の免疫反応は大いに結構です。

さて、機械の話に戻します。先ほど紹介したように人間が作った機械（道具）が進歩することで人間も進化する原則があるなら、人間の知能を超えた機械が出てきても、それが人類と対峙しない限り同様なことが起こる可能性が高いでしょう。もちろん機械は基本原理が同じでも、使い方で最悪の結果を招くのですが、これは多くの場合、機械側ではなく人間側の問題です。自然災害を除く、ほとんどの大きな社会的課題や事故は、人や組織や社会が自己の利得を過剰に追求した結果やヒューマンエラーが招いています。しかし、技術者はそのヒューマンエラーさえも起こさない、あるいは起きても大丈夫な技術を作ろうと常に挑戦し続けています。将来は、悪意の行使すらもできないようにする技術を作り上げることが、要求される時代になります。例えば、興奮していると使えない包丁などは、合理的な価格で実現できるのであれば可能性があります。技術者が追求しはじめた倫理観は、人に対する身体的安全性だけではなく、心に対する安全性まで求められるようになってきているということです。心にひびく学びのデザインで紹介した、重要な脳機能の一つである睡眠に影響を与えない照明というのは、本当にその初歩的段階にすぎませんがその一例です。

一方、現在使われている機械学習を基本としたＡＩは、自然界の法則に則って学習するわけではないので、何を学ばせるかで、もたらす結果が変わります。もちろん、倫理的なプロセスや社会契約の知識に則って動いているわけではなく、動物の行動でたとえるのであれば、反射や小脳における運動制御に近いものです。機械学習の仕方を簡単に説明すると、「こういう入力があったら、これが正しい出力ですよ」ということだけを学習するからです。そして、この「こういう入力があったら、これが正しい出力ですよ」方式で学習される内容は人が決めるので、実は「正しい出力」あるいは「向社会的な出力」がきちんと教えられないとまずいことになります。さらにいえば、悪意を持って学習させると大変なことが起こります。

さて、人間の場合はどうでしょう。同志社大学赤ちゃん学研究センターの板倉昭二氏のグループは、人間の場合14か月になると向社会性の成立にかかわる認知機能がすでにあることを報告しています[74]。同じように、機械が向社会性を獲得するような学習はできるのでしょうか。あるいは、弱きを助けるような向社会的な能力を持ち自発的に困っている人を助けることができるでしょうか。あたかも人のように考え、その上、人の知能を超えた機械が社会の中で存在する時に、社会の成長に向かうような能力を獲得している、あるいは理解していることは必須です。本書では、集団と個のより良き存在に不可欠な社会的な心の働きをまとめて、社会性という言葉で表現します。

先ほどいったように、人と人がうまくつながるような知能には、まさに、この社会性を理解し、さらには、社会を滑らかに動かす技術が必要です。そして、もうひとつは、先ほどいったように、個性を理解する知能が不可欠です。さてここで問題が生じます。

２０５０年頃には、横にいる機械が常に私を観察し、その発言や行為を蓄積して分析することになるわけです。悪いいい方をすると、その機械が、常に私を監視し、だれかにその情報を渡して、そのだれかのいいようにされてしまっているのではないだろうかという不安が出てきます。ポジティブに考えると、いつも寄り添って観察してくれるので、時々会っている人よりもその機械は私のことを理解してくれるはずです。

こう書くとなんとなく恐ろしい世界のような感じもしますが、逆に自分の心を理解するようになってくれると、その人の成長に資する支援もできるようになるのです。

ここで、一つの選択問題を出します。

私たち自身の情報は、他人に知られたくないのか、あるいは、機械に知られたくないのか？

現実には、検索する、買う、ＳＮＳの投稿、ＡＩスピーカーで聞かれている言葉などなど、私たちは自分のための行為で、自分の言葉や行動を他人に渡しています。すでに、個人の思考・好み・ペルソナのような、実は心の一部は受け渡してしまっているのです。それも、中央に集まっているので、だれか知らない人が見ている可能性も否定できません。そういった、社会背景に対して、欧州では罰則規定のある個人情報保護の枠組みＧＤＰＲ（General Data Protection Regulation：ＥＵ一般データ保護規則）が設けられ、個人のデータに対して厳格に取り扱うようになりました。

一方で、個人のデータを集めて、社会全体を分析し、即座に良い方向に向けて介入するというのは当然望まれていることです。様々なデータが集まることで、個人に合った最適な医療を提供することができるようになったり、渋滞を緩和したり、パンデミックを最小限に食い止めたりすることができるようになります。そして、それらを積極的に進めていく必要はあります。

いずれにしても、高度に自動化された社会において、機械が人を理解し心に踏み込んでいくことは、不可欠でしょう。例えば、自動運転されている車の中で人が意識を失っても、そのまま目的地に行くということはナンセンスです。意識の有無の検出のような、二択の問題であっても、まだ心を対象とする検出技術は社会的には実装されていません。そんなに難しい話ではなく、車がその人の異常を検知したら声をかければ意識の有無は分かるので、現在の技術で十分実現できます。機械の自動化が進めば進むほど、機械は人の心身の状況に注意を払い、機械が人のためにどのように動くべきかの判断を迫られるようになってくるのです。

また、計測の原理から考えると、できるだけ人に気づかれないように計測しなければなりません。人間は計測されていることが分かると、人の心は演技をしはじめるので、正確なデータは取得できなくなります。ということは、心身を計測する機械は、人が心を開くことができる存在にならないといけないのです。

実は、観察者が人の場合、被観察者の心を開くことはなかなか難しいことが知られています。例えば、血圧を計測する血圧計は、医療機器なので家庭で計測するなどとんでもないという時代がありました。しかし、白衣高血圧のように病院の診察室では高血圧になるが、日常は高血圧にならないという人[75]や、逆に仮面高血圧のように、診察室では正常値を示すが、日常はストレスが強く高血圧になるようなことが起こります[76]。これは、物理学、情報工学、社会科学などでいわれる観察者効果というもので、観察しようとすると観察する物、プロセス、人が観察対象に影響を与えてしまう悪い効果です。非常に厄介で、無視できるレベルであれば良いのですが、血圧のような生理的な現象ですら、心理的影響で変化してしまうので、人が人の心を計測しようとするのは、とてつもなく難しい課題です。

第2章で紹介した数の概念の計測も、観察者の意図を深読みした子どもたちの心が真実に蓋をした可能性が高く、まさに観察者効果そのものです。私の祖母はすでに亡くなっていますが、日本の女性で初めて二つの博士号を取ったという才女でした。いくら才女でも高齢には勝てず、買ってきたものをどこかに置いてきてしまったり、それをだれかが盗った、と人のせいにしたりと、今思えば認知症を発症していたのでしょう。見かねた叔母が病院に連れていくと、きれいにお化粧とおしゃれをして、毅然とした態度で診察を受けるので、全く問題なしとして帰されました。観察者が目の前にいると、心が演技するのです。

そういった観察者効果を排除またはできるだけ小さくするには、観察者としての人を排除すればよいことになります。観察者の存在が、被観察者に気づかれることなく計測するほうが、心に対する擾乱《じょうらん》は与えづらいのです。ただ、血圧くらいならまだ良いかもしれませんが、自分の心の状態が気づかれないうちに把握されるのは、なんだか気持ち悪さが残ります。しかし、祖母の例のように、早めにかつ正確に心の課題や異常を把握できるのであれば、この気持ち悪さは横においておけると思います。また、現在の技術であれば、少し頑張ればプライバシーも守ることは可能でしょう。

観察者である人を排除する方法は、日常生活を遠隔から他者が観察する、あるいは、機械が観察するという二通りが考えられます。前者は、やすやすとは許容できないでしょうし、人が人を遠隔で常時観察し続けるというのは、経済性からも成立しないので、そういったエコシステムをあらゆるシーンで作ることはできないでしょう。かなり特殊な状況、例えばカウンセリングとか教育のように、その人の日常生活に専門家が介入しなければならないような場合に限られます。それでも、見られているという観察者効果は入ってくるでしょうが、横にいられるよりははるかにましです。

後者の、機械が観察する場合、常時観察することができるのでより現実的です。しかし、今のところ、人の状況を把握して心まで理解するような技術は作られていません。人に接触して脳の活動を計測してよいのであればある程度心を把握する方略はありますが、非接触で心の状態までを把握する技術となると、なかなか難しい課題になります。しかし、避けて通ることができない課題でもあります。

ここで、もう一度繰り返します。

私たち自身の情報は、他人に知られたくないのか、あるいは、機械に知られたくないのか？

私の答えは、「他人に知られたくない」、です。もっというならば、手元にある信頼できて自分の心が演技しない機械のみが、私のことを知っているのであればまったくOKです。そして、そのデータが公衆衛生に役立つ、自分の生活の質が高くなるというなら、自分で選択して当然社会と共有します。他人が一切踏み込めない、信頼性の高いデータですから、かなり有用性があるはずです。もちろん一つ一つ提供するデータを選択するのは面倒なので、カテゴリーで絞って簡単に選択できるくらいの工夫は必要ですが。

科学技術の分野は物質主義で高度に発達してきたわけですが、心への踏み込み方には人々はまだ躊躇があります。心は物質から生まれているということが分かっていても、心に科学を導入することに逡巡する人間はとても面白い存在です。しかし、結論からいうと、機械の知能が高度化することによって、心へより深く踏み込まざるを得なくなります。このままいくと、傍らにあるスマートフォンが、自分の脳と同等の計算能力を備えることになります。私は、そいつに自分を知っていてもらい、自分にとってプラスになるなにかと自分をどんどんつないでもらいたいと考えています。

3．社会性を育む

発達から考える社会性

本章の冒頭に書いたように、社会の円滑な発展のためには、これまで社会契約で決められてきたような法律や制度などに対しても、脳神経科学による生物学的な理由が与えられていくようになっていくでしょう。なぜなら、分子のレベルから人の脳活動や行動までを包絡する脳神経科学の進歩で、心に関わる科学的な発見が次々に出てくるからです。多少時間はかかるとは思いますが、必然ですし、最先端の計測技術の進歩に伴い生物学的な知見が加速度的に増加しているからです。

政治、法律、経済に直接的にかかわるような研究のほうが社会のデザインに近いのかもしれません。しかし、あまりテーマの拡大はさせたくないので、本書における「心にひびく社会のデザイン」の章の中核的な話題としては、社会性に軸足を置いてきました。なぜなら、社会は個と集団で構成されているので、社会の持続的な成長のための多くの各論よりも、社会性こそが社会にとって本質的な部分ではないかと思えるからです。もちろん、社会性の一方で独自性や個性も大切です。しかし、集団側の社会性という観点で見ると、個に対する偏見を無くし、その独自性や個性を包摂してそれらを伸ばしうまく活動させられる能力が、集団の社会性と定義できます。つまるところ、個についても集団についても社会性を中核に据えれば、「心にひびく社会のデザイン」ができるはずです。

そう考えてみると、とことん高度に発達した自動化された機械の重要な役割は、人と集団の社会性を高めることではないでしょうか。コミュニケーション量を上げるだけの通信手段を用意するだけではなく、個と個、個と集団（組織）、集団と集団の関係性を良好に保つ知能や機械というのが、ことさらに必要になってくるように考えています。すなわち、人と人の関係により良い介入をする知能です。

例えば、人間が行う高度な育児を考えてみましょう。育児のやり方は遺伝子に書かれているわけではありません。それなのに、介入、介助を受けずに、ヒューマンエラーもなく、ストレスもなく実行することは不可能です。そこで、育児のやり方を支援したり助言したりする機械が欲しいところです。赤ちゃんにとっては、育ててくれる人との生活が、最初に属する社会であり集団ですから、その集団の社会性を高める機械があったほうが良いということです。

大家族制の時代は、子育ては親から子へ継承され、また、たくさんの目で見守ることができました。しかし、核家族化が進み、孤立した世帯が増え、住宅の性能も良くなり、隣人の音どころか空気も漏らさない家に住むようになってきた現在、私たちが生きている住環境は大きく変わっています。このことが、育児にどう影響を与えているかは科学的に因果関係を示すことはできませんが、外からの介入（別名：おせっかい）は、減っているというのはみなさんも同じように感じているのではないでしょうか。

機械が人と人の関係性を良好に保つ？　そんなの、あり得ないしそれこそ人間の仕事だろう、という意見もあろうかと思います。しかし、想像してください。その人をある程度理解するには、その人の行為や発言を継続的に観察あるいは観測しないとできないことはすでに触れました。人と人の関係性に介入する名人はいるのかもしれませんが、よく考えると他人のことはそもそも理解できないので、たいていはご都合主義で関係性が良くなったということにして終わります。

単に技術そのものを目的とした発展に大きな意味はありません。そうした機械がやがて現実に社会に登場すると仮定して、しかしそれらは間違いなく、私たちの生活の質の向上に資するものでなければなりません。より良く生きることを well-being と呼びますが[77]、個人や集団に高い社会性を創ることのできる機械があれば、結果的に孤独になりがちな人間の独自性も活かされ、新しい形の社会が形成される可能性が高いと考えています。もしかすると、あらゆる紛争がなくなるかもしれません。

いずれ人類は、個々の社会性を理解し、また、社会の中で人とうまくつながっていくための機械を作り上げます。そしてその初手として、遊びのデザインの章で紹介したように、私たちは幼児期の社会性の育成をめざして、おもちゃを使って挑戦しました。社会性を育む技術の第一歩です。

もちろん、おもちゃが社会性を創るのではなく、適切にデザインしたおもちゃを介したごっこ遊びが、「他人の考えを理解する」という社会性の初期発達にかかわる認知機能へと良い影響を及ぼしたのです。社会性は、成長に伴い段階的に発達していき、生まれてから高齢になるまでその発達は継続していくといわれています。少し砕けて表現すると、大人になってもコミュニケーション力が高いとか、ＫＹ（空気が読めない）の表現で個人の社会性が評価されています。

最近になって社会性に深くかかわる、とても効果的な技術に触れましたので、ここで紹介したいと思います。その方法は、ＰＣＩＴ（Parents Child Interaction Therapy：親子相互交流療法※（訓練法））と呼ばれるものです。もともと、シェイラ・アイバーグ氏が１９７０年代から開発してきたメソッドで、国内では日本ＰＣＩＴ研修センターの加茂登志子氏（医師）が普及・啓発に尽力されています。ＰＣＩＴがめざすものは、親の子どもへの接し方を適正にし、その結果子どもの発達をより良くする方法です。すなわち、一般的にはしつけとか育児などといわれることですが、親と子の関係性を科学的に育んでいく技術です。図44にＰＣＩＴを実施している様子を紹介します。

私は、この技術をご紹介いただいた時、目からうろこが落ちました。というのは、私たちはお

※一般的にはTherapyなので療法と訳されるが、その技術の内容は一般の方に向けた育児教育技術の範疇としてもよいので訓練法trainingという場合もある。

現在のPCITは観察室でコーチが親に対してイヤホンを介しライブコーチングを行い、プレイルームで親が子どもにプレイセラピーを行う方式。将来的にはコーチの役割をロボットが行うかもしれません。

© SEGAWA Shoshi

図44　親子相互交流療法／トレーニング

もちゃ、すなわち「もの」という外部環境を使って、子どもの脳を育むことに挑戦してきたわけですが、子ども、特に乳幼児期の環境因子については、その多くの面積を育ての親が占めることについては議論の余地がありません。それは、「もの」だけでは、決して置き換えることができない外部環境です。社会性を育むおもちゃも道具としてとても重要ですが、実際には二人で遊ぶ「ごっこ遊び」という行為を支援しているものです。もちろん、視覚や聴覚を対象とすると、道具だけの効果というものもありますが、個と個、個と集団の関係性の潤滑剤となる社会性に関していえば、人のファクターが最大の外的環境因子になります。

ところが、育児やしつけは、私たちは習うことがありません。もちろん遺伝子に書かれているような話でもありません。一方で、乳幼児期の発達の大部分を親の言動が決めてしまうわけです。親の子どもへの接し方が変わることで、子どもにも確実に変化が生じます。ネズミの実験では、親に無視された子ネズミは本当に脳が傷つく、実際にはＤＮＡが変異を起こす可能性が示唆されています。やや乱暴にいえば、抑うつ状態を生じさせるような悪質な社会的ストレスが、ＤＮＡのような物質的側面にも影響を生じさせるという点が重要な意味を持つと考えています。また、育児の影響は非常に大きく、悪質な社会的ストレスの長期的暴露は、子どもの未来そして彼らが作る社会にも深刻な事態をもたらすことにもなりかねません。

そこで、ＰＣＩＴでは、育児やしつけといった、社会性を育む因果関係のおおもとである、親の言動をまず育むという方略で攻めているわけです。私も「心にひびくデザイン」を乳幼児期の発達支援をしていく領域から始めました。第２章で紹介したおもちゃの開発も、こうした目的のためにできることから始めた結果です。まさに、子どもの心を育むために、親の心を育み、人と人の関係性の最初の段階に科学的に踏み込む本質的なやり方です。ＰＣＩＴの技術が虐待や発達障害に効果があるというエビデンスが出てきていますが、本来すべての親、いや、社会人すべてが高校や大学で学んでもよい技術かもしれません。

繰り返しになりますが、社会性は生まれてから成長し、関係する社会の多様性が広がるにしたがって、段階的に発達していきます。すなわち、成長にしたがって高度な社会性が要求されるので、各段階に応じた××交流療法（訓練法）というものが必要になってきます。親と子の絆を育むＰＣＩＴのような技術を自動機械が習得し、家庭で育児のアドバイスをしてくれる、あるいは、仕事の仲間同士の潤滑剤となり創造的な仕事をサポートしてくれる、そんな未来が見えています。少しロマンティストすぎるかもしれませんが、ゆくゆくは人と人だけでなく、集団と集団もうまくつなぐことができるようになり、紛争もなくせると素晴らしいと考えています。

社会性は個人の所有物か？

ところで、社会性は個人の所有物でしょうか。たしかに、社会性の初期発達段階にある人の気持ちを理解するという機能は、個人の脳内にあります。専門的には、他者の心を類推し理解する能力は「Theory of Mind：心の理論」と名付けられ[78]、様々な研究が進められてきました。また、心の理論に関する40の脳神経科学的な研究からは、内側前頭前野と前頭眼窩領域が93％の割合で心の理論との関連を示しており、ついで、側頭頭頂接合領域（45％）、上側頭溝周辺領域（45％）、前部帯状回（38％）、外側前頭前野（35％）と脳内の様々な部位が関係していることが報告されています。[79] したがって、個人の脳の働きが社会性を創っていることは、疑う余地はありません。

一方で、大きな社会問題の一つであるネグレクトというのは、ネグレクトされる側の脳が作る社会性が問題なのでしょうか。ある集団では、あまりに独自性や個性が高い人は孤立してしまうようなこともあるでしょう。これは、孤立している人の脳の課題というよりも、その集団が持つ社会性の問題と定義するべきだと考えています。自動化が進み、様々なことを機械がやってくれるような時代になると、個性や独自性といった人間が持つ人間らしい力が重要になると考えられています。そういう時代のより良い社会とは、個人の力をうまく引き出す集団の社会性が、今よりも求められることになります。そして、それこそが重要な社会的価値となるはずです。すなわち、社会性の高い社会というのが、次の文化・文明の段階であるような気がしてなりません。

社会性に関する研究は、ネズミや子どもを対象とした研究だけではありません。何歳になっても、重要な高次の認知機能ですので、高齢者を対象とした多くの研究があります。ここでは東京大学の飯島勝矢氏（医師）が推進してきた高齢者の孤食の研究についてご紹介します。飯島氏は、高齢化に伴う虚弱（フレイル）に対して身体、精神、社会性などの多面的な側面からアプローチしています。そして、科学的な研究成果を基盤としたフレイル対策ソリューションを社会実装するために、先頭に立って走っていらっしゃいます。

飯島氏が進めてきた、多くの重要な研究の中でも孤食に関する研究の結果には大変驚きました。その研究の結果を端的にいうと、「家族などと同居しながら、一人で食事をするご高齢の方にとても大きな課題があった」という結果でした[80][81]。

一人で暮らして一人で食事をする人よりも、家族などと同居しながら一人で食事をするご高齢の方のほうが、精神的な落ち込みや日常生活動作における肉体的な課題が出てきているというのです。この事実には考えさせられました。要するに孤食をしている側でなく、集団側の持つ社会性の課題なのではないかということです。集団側の立場にいる時にどのように個に接しなければならないかということは、意識にのぼることがあまりありません。筋肉が動かなくなっていく病気であるALSの方のための意思伝達技術について記載したパートでも書きましたが、声が小さい個については社会のほうから寄り添わないといけないように思えます。それが、社会的生物の本性のような気がしてなりません。

私たちは個人の社会性にのみ目を向けがちですが、集団が持つ社会性をどのようにして育むのかを考えていかなければならない文明のレベルまで来ています。もちろん、プライバシーといった権利と対峙することは容易に想像がつきますが、社会的弱者の生存は大切なことですので、今後、そういった社会性の課題を解決していく技術を創造していく必要がありますし、かなり準備ができているように思います。

先の孤食の研究から、家族などと同居しながら一人で食事をするご高齢の方、男性、女性ともに、うつ気分、すなわち暗い気持ちが強くなることが分かっています。こういった、暗い気持ちを払拭するには、そうさせる原因を無くす必要があります。孤食は良くないというのは研究結果を見なくてもなんとなく分かっているような気がします。しかし、研究結果を見て初めて気が付く課題があることは忘れてはいけません。私たちはそういう事実を知った時に、はたして孤食と同様な事態が起きないように行動できるでしょうか。村八分などの問題は古からありましたし、人が持つ何らかの負の側面が生じさせている、集団や社会側の社会性の不具合でしょう。

個の問題として捉えるのであれば、あえて啓発しなければなりません。ＰＣＩＴのように対人関係をより良くする社会性の育成技術を開発していく必要性も強く感じます。集団の社会性の問題に取り組むには、任意の集団に働きかける制度、技術、システムを創っていくことが必要です。そういった社会のデザインが必要だということです。ＩＴやデジタル技術を活用して個性や独自性を尊重できる、集団の社会性を育む高度な知能が必要な時代になったのです。

つまるところ、どれだけ科学や技術が発達したところで、変化そして成長するべきものは人間であって技術は手段なのです。私たちが主体的に取り組み、様々な社会課題に関して、脳神経科学を根拠として、心にひびくデザインについて真剣に考えてはじめて、心にひびく社会のデザインが出来上がるのです。そして、社会は脳の集合体です。したがって、脳を理解しないと心にひびく社会のデザインはできません。

自分を理解してくれる人工的な存在ができた時、その存在は最も自分の人生が楽しくなるつながりを見つけてくれるはずです。それは、人であったり、物であったり、経験であったりします。そして、それが実現されると、個性が最大限に発揮され、諍いもなくなるかもしれません。心の潤滑剤のような役割を担う、心に寄り添う知能を持つ人工的な存在が必要な時代に差し掛かっています。

あとがき

タイトルに「脳」というワードを入れたほうが、世間には受けがいいのではないかという友人がいました。しかし、本書テーマの根底にあるものとして、物質中心の世界観からの進歩を据えていたので、あえて物質をイメージする「脳」という言葉を外しました。また、「人類がこれまで科学で切り開いてきた未知・未踏の領域は、大くくりすると顕微鏡下の微小な細胞・分子・原子の世界を望遠鏡でのぞくような果てしなく広い宇宙である。したがって、それらに匹敵する次の未踏の領域は、脳というよりも心の世界であろう。近しい先輩方や仲間たちもそう考えているので、その方向で書いていきたい。」と壮語を吐いてしまったので、タイトルには「脳」ではなく「心」を入れることにしました。書きはじめてから、「心」とはなんぞやということで、たいへん後悔しましたし、お叱りを受けるようなことも書いてしまったかもしれません。ただ、本書を通して述べたかったことはひとまず筋は通したつもりです。

私たちが作る社会システムの技術は、すでに人間の情報を実時間で取り込み、心を読みながら動くようになりはじめています。例えば、車の操舵性に加速度に対する感じ方をモデル化して制御したり、回転ずしの顧客行動からその人の前に流す品を制御したり、知らないところでシステムと心が融合しはじめています。

そのため、心を理解してそれを生かすということは、いままさに発展途上で、遠い未来の話ではありません。本文にも書きましたが、機械化や自動化が進めば進むほど、機械が人間を理解するようにならざるを得ません。それは社会的・産業的・工学的に必要不可欠です。あと30年もすると、人の気持ちを分かってくれる機械は登場し、人間よりも機械のほうが人を理解しているかのようになるでしょう。私も脳機能計測技術だけでなく、そのための新しい技術開発を始めています。そして、技術開発と社会実装の競争と協創を進め、人生の質がより良くなるような社会や経済的エコシステムが構築されることを願っています。

第2章の最後にも書いたように、近代から現代へと至るプロセスは、いうなれば利便性の時代であり、私たちの安全は物質・力学・エネルギーといった点を中心に語られてきました。人間の五感特性や感性を測定するのには言葉、行動観測といった手段しかなく、研究によってもたらされる効果は生きる、嬉しい、楽しい、安心、といった地平にとどまっていました。しかしながら、これからの時代は心の時代であるべきです。安全性は生理学的ないし心理学や神経学的側面から語られ、五感特性や感性を測定するのには行動計測に加えて脳機能計測が用いられ、前向きに生きる、成長を促す、あるいは退行を抑えるなどの観点で研究の効果が問われる、そんな時代が訪れると考えています。学術の基盤も当然、脳神経科学・生理学・心理学といった、自然科学と人文科学を融合したような分野が重要になってきます。

そのような未来志向の思想を背景として、どのようにして子どもの心的能力を育んでいくのか。それが、心にひびくデザインの原点で、常にこの思想がないと付け焼刃的な対策になります。それが学びや教育や社会そのもののデザインへと敷衍され、総体としてこれから向かう超高齢化社会がより良いものに発展していく。そのために私どもができたことはささやかですが、その蓄積が人間のQoLを高めていくことに必須です。

「心にひびくデザイン」を改めて体系化して整理すると、私たちの取り組みは図45に示すような学術・科学を基盤としたひとつの羅針盤を作ろうとする試みであると考えています。特に、注意している観点は、社会を構成する層を生物学的に考えるということです。それらは、図45の縦軸方向の階層になりますが、各層内をより深く理解する研究だけでなく、各層が互いに関わりあっ

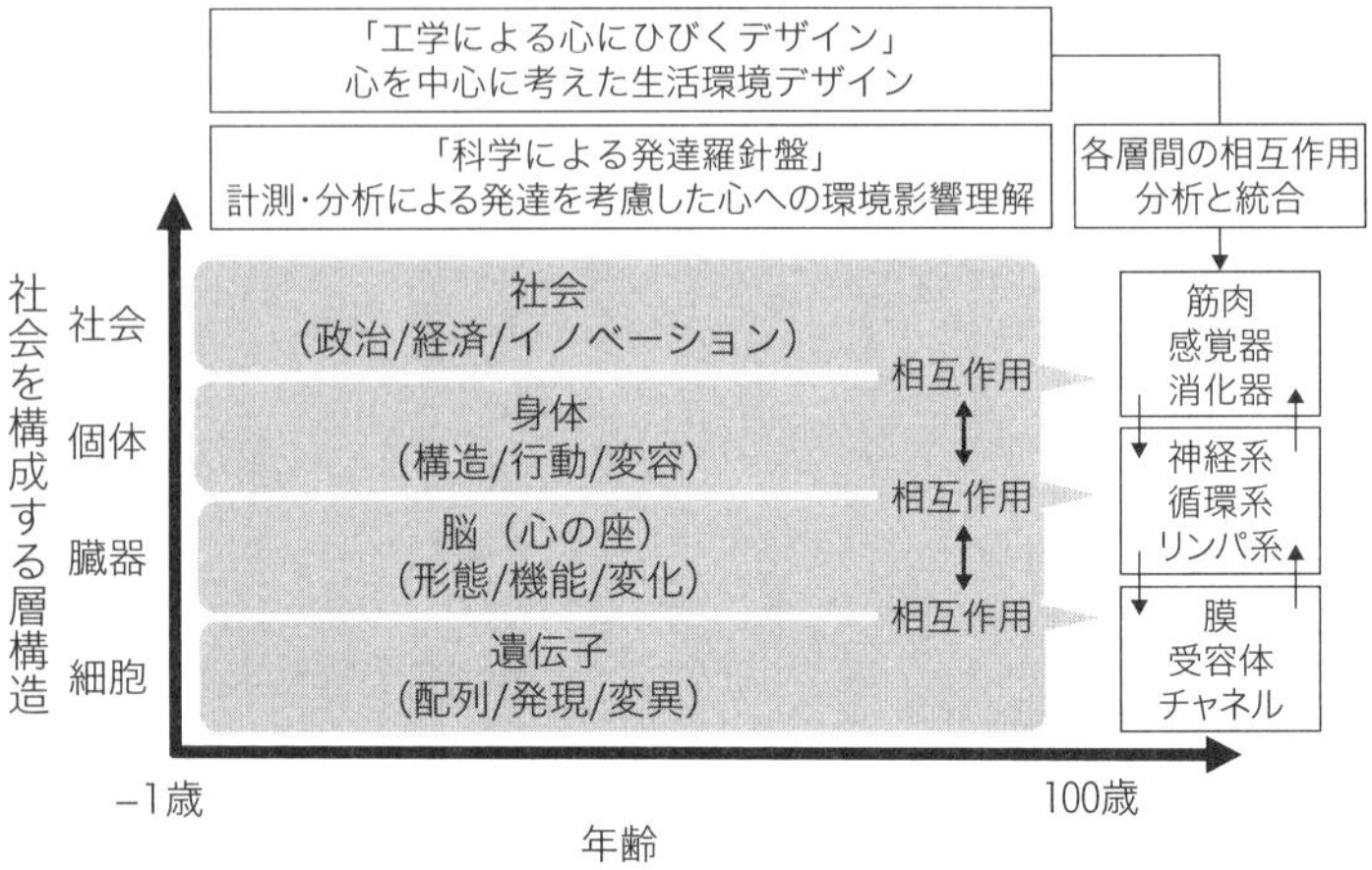

図45　心にひびくデザインを支える発達羅針盤

ていることを理解し、分析し、統合していく研究が今後は重要になってくると考えています。なぜなら、本書でお示ししたとおり、社会的環境の影響は人の分子構造にまで深く影響していることが、最新の研究では指摘され始めているからです。

おもちゃ、学び、社会の課題に対するソリューション、手段はさまざまあるとしても、その目的は常に人間のWell-Being（よりよく生きる）を支援しQoLを高めていくことにあります。超高齢化、あるいは超少子化を迎え、感染症などによる自然の脅威や価値観の相違による社会の分断が進行することに対して、これからどのように対処していくのか。それらが目の前に控えている大きな課題であることはいうまでもありません。しかし、それらのソリューションを構築し対処する方法を生み出すには、全体を俯瞰した羅針盤がないと安全に航海ができません。この話を紹介したときに、100年くらいかかるから駄目だといった方がいましたが、100年くらいで心の問題をすべて解決できる道筋が生まれるならそれほどたいそうな話ではないと思います。

特に「人生101年時代（胎児期の1年を加算）」を迎えるにあたって、これからの私たちは、何を中心に据えて社会の多くの難題に対処していくべきなのか。実験を通じて人間の行動を分析していくこと。行動だけでなく、脳や遺伝子についても理解を深めていくこと。IT技術を駆使しさまざまな角度や切り口から人間を解析すること、脳をはじめとする各種器官の働きをしっかりと科学的に理解し、知見を築盛していくこと。それがやがては精神の領域へとたどり着き、神経を修復するなどの観点から精神疾患や高次脳機能障害に対処していくことや、発達に即して人の前向きな気持ちを駆動し、自ら能力を高め退行しないようにしていく。それらを実現するために、心を中心とした生活環境を設計すること。

つまり、私たちの目的の核心にあるべきは物質的裕福さではなく人間の心です。だからこそ、心にひびく多くのデザインがこの社会には必要なのです。そして、そのためには図45で示したような羅針盤を作っていかなければなりません。

それらの学術分野が国の方針や民間の技術と緊密に結びつき、心ある人々が立場を超えて連携し、この地球の未来を、心をデザインしていくことが求められます。歴史のある時期、人間は微小なるものの観測へと向かいました。そしてその次に訪れたのが、宇宙など巨大なるものの観測へと向かう時代です。そしてこれからは、心の理解こそが志向されなければなりません。それは、脳神経科学を中心に人間の脳へしっかりとフォーカスし、そこで得られた知見をデザインへと落とし込んでいくこと。そのような心を中心としたデザインこそが志向されるべきであること。心にひびくデザインを最大の目的として、それらを実現していくこと。そんな社会の未来を展望しつつ、そろそろあとがきを終えたいと思います。

少なからず分かりにくい表現も多かったものと拝察します。できるだけ簡易な表現を心がけてきたつもりではありますが、至らぬ点につきましては私の未熟でありこの場をお借りしてお詫び申し上げます。本書を最後までお読みいただいたみなさまには、心から最大限の感謝を申し上げ、結びとさせていただきます。何かひとつでも心に残るものがあれば、そして、「心にひびくデザイン」を自分で実践したいという人が増えてくると本当に嬉しく思います。全部に一人で取り組むことは不可能ですが、ご自身に近い分野でもきっと題材はたくさんあると思います。

みなさま、本当にありがとうございました。

また本文中でお名前を挙げさせていただいた方々の中には、故人の方もいらっしゃいますが、私の中では今も生き続けている方々ばかりですので、その点については明記しておりません。また、大変なご高配をいただいたにもかかわらず、本文中に書ききれなかった方々について、この場を借りてお名前を挙げさせていただき、謝辞に代えさせていただきます。

青木隆太氏、浅香裕一氏、敦森洋和氏、阿部俊孝氏、安藤寿康氏、安藤ハル氏、市川祝善氏、糸藤友子氏、稲員拓海氏、内田真理子氏、宇都木契氏、岡田俊英氏、岡田英史氏、荻野武氏、長我部信行氏、小幡亜希子氏、加賀幹広氏、梶川祥世氏、桂卓成氏、川口常昭氏、川口英夫氏、川口文男氏、川崎真護氏、木口雅史氏、木下岳司氏、木下登美子氏、相良和彦氏、定藤規弘氏、佐藤大樹氏、ストコ・ステファニー氏、武田晴夫氏、田中尚樹氏、田邊孝純氏、谷下一夫氏、塚田紗都美氏、ディビット・デルピー氏、遠山博氏、戸田明彦氏、内藤正美氏、中村道治氏、西村信

治氏、二ノ宮篤氏、秦利男氏、平林由紀子氏、藤原倫行氏、渕野裕氏、舟根司氏、星野剛史氏、細谷知司氏、堀井洋一氏、正本和人氏、松岡秀行氏、松尾仁司氏、松元健二氏、皆川泰代氏、嶺竜治氏、山口真美氏、山下優一氏、山田真治氏、山田幸生氏、山本剛氏、山本由香里氏、吉村美奈氏、渡邊裕文氏、㈱バンダイベビラボ・ブロックラボ関係者ご一同。

心からの感謝を捧げます。

座右の銘二選

「太上は天を師とし、
　その次は人を師とし、
　　その次は経を師とす。」

「着眼高ければ、
　則ち理を見て岐せず。」
佐藤一斎（言志四録）

〔**80**〕 Kuroda, A., et al. (2015). Eating alone as social disengagement is strongly associated with depressive symptoms in Japanese community-dwelling older adults. *Journal of the American Medical Directors Association*, 16 (7), 578-585.

〔**81**〕 Suthutvoravut, U., et al. (2019). Living with family yet eating alone is associated with frailty in community-dwelling older adults: the Kashiwa study. *The Journal of Frailty & Aging*, 8 (4), 198-204.

and Development, 13 (1), 77–108.

〔**69**〕『順天堂医学』15 (1)、小川鼎三「解体新書の神経学」1969年

〔**70**〕小川鼎三『医学の歴史』中公新書、1964年

〔**71**〕Sandberg, A. & Bostrom, N. (2008). Whole brain emulation a roadmap. *Technical report #2008-3*, Future of Humanity Institute, Faculty of Philosophy & James Martin 21st Century School, Oxford University.

〔**72**〕経済産業省「エネルギー白書」、平成30年度エネルギーに関する年次報告（2019）、P170　補足：本データから世界の年間エネルギー需要総量の数値から1石油換算ト42GJで計算

〔**73**〕スポーツ庁：平成29年度体力・運動調査結果の概要及び報告書：
https//www.mext.go.jp/sports/b_menu/toukei/chousa04/tairyoku/kekka/k_detail/1409822.htm

〔**74**〕Luca, S., et al. (2018). Do infants attribute moral traits? Fourteen-month-olds' expectations of fairness are affected by agents' antisocial actions. *Frontiers in Psychology*, 9, 1649–1653.

〔**75**〕Pickering T. G., et al. (1999). Blood pressure monitoring. Task force v: white-coat hypertension. Blood Pressure Monitoring, 4 (6), 333–341.

〔**76**〕Pickering T. G., et al. (2002). Masked Hypertension. *Hypertension*, 40 (6), 795–796.

〔**77**〕Koizumi, H. (2007). A new science of humanity: A trial for the integration of natural science and the humanities towards human security and well-being. In M. S. Sorondo, Ed., *What is our real knowledge about the human being. Vatican*, Pontifical Academy of Sciences.

〔**78**〕Premack, D., & Woodruff, G. (1978). Does the chimpanzee have a theory of mind? *Behavioral and Brain Sciences*, 1 (4), 512–526.

〔**79**〕Carrington, S. J. & Bailey, A. J. (2009). Are there theory of mind regions in the brain? A review of the neuroimaging literature. *Human Brain Mapping*, 30 (8), 2313–2335.

〔59〕 Opmeer, E. M., et al. (2010). Depression and the role of genes involved in dopamine metabolism and signalling. *Progress in neurobiology*, 92 (2), 112–133.

〔60〕 鈴村興太郎／後藤玲子著『アマルティア・セン　経済学と倫理学　改装新版』実教出版、2001 年

〔61〕 アレクサンダー・トドロフ著、作田由衣子監修、中里京子訳『第一印象の科学　なぜヒトは顔に惑わされてしまうのか？』みすず書房、2019 年

〔62〕 マシュー・ハーテンステイン著、森嶋マリ訳『卒アル写真で将来はわかる　予知の心理学』文藝春秋、2014 年

〔63〕 Demeny, P. (1986). Pronatalist Policies in Low-Fertility Countries: Patterns, Performance, and Prospects. *Population and Development Review*, 12, 335–358.

〔64〕 立命館大学　佐藤研究室公開資料：
http://www.ritsumei.ac.jp/~satokei/sociallaw/compulsoryretirement.html
（以下引用）記録に残っている最古の定年制は、1887 年に定められた東京砲兵工廠の職工規定で、55 歳定年制でした。民間企業では、1902 年に定められた日本郵船の社員休職規則で、こちらも 55 歳定年制でした。この時期の男性の平均寿命は 43 歳前後でした。新生児の死亡率が 15%であったとして、それを統計から除外しても、平均寿命は 50 歳という計算になりますから、55 歳は平均寿命よりかなり長いものでした。定年制が実際に適用されたのは、大企業の一部職員だけでしたが、それでもそれらの人に対しては文字どおり「終身」雇用であったと言えるのかもしれません。

〔65〕 Mitsui, S. (2014). Analysis between first impression of likeability and change of oxy-hb in frontal cortex during watching video.
紀要論文『大学院研究年報』44

〔66〕『日本医学会シンポジウム 記録集』129、山脇成人「うつ病の脳科学的研究：最近の話題」6-14、2005 年

〔67〕 Xu, M., et al. (2017). Prefrontal Function Engaging in External-Focused Attention in 5- to 6-Month-Old Infants: A Suggestion for Default Mode Network. *Frontier in Human Neuroscience*, 10, 676–684.

〔68〕 Fantz, R. L., & Nevis, S. (1967). Pattern Preferences and Perceptual-Cognitive Development in Early Infancy. *Merrill-Palmer Quarterly of Behavior*

〔48〕 Brooks, B. W., et al. (2005). Determination of select antidepressants in fish from an effluent-dominated stream, *Environmental Toxicology*, 24 (2), 464-469.

〔49〕 Penzes, P., et al. (2011). Dendritic spine pathology in neuropsychiatric disorders. *Nature Neuroscience*, 14 (3), 285-293.

〔50〕 Longcamp, M., et al. (2008). Learning through hand- or typewriting influences visual recognition of new graphic shapes: behavioral and functional imaging evidence. *Journal of Cognitive Neuroscience*, 20 (5), 802-815.

〔51〕 文部科学省「先導的教育事業化推進プログラム」、平成20年度〜22年度

〔52〕 Brainard, G. C., et al. (2001). Action spectrum for melatonin regulation in humans: evidence for a novel circadian photoreceptor. *Journal of Neuroscience*, 21 (16), 6405-6412.

〔53〕 Thapan, K., et al. (2001). An action spectrum for melatonin suppression: evidence for a novel non-rod, non-cone photoreceptor system in human. *The journal of Physiology*, 535 (1), 261-267.

〔54〕 Lewy, A. J., et al. (1980). Light suppresses melatonin secretion in humans. *Science*, 210 (4475), 1267-1269.

〔55〕 Izuma, K., et al. (2008). Processing of social and monetary rewards in the human striatum, *Neuron*, 58 (2), 164-165.

〔56〕 Aoki, R., et al. (2011). Relationship of negative mood with prefrontal cortex activity during working memory tasks: an optical topography study. *Neuroscience research*, 70 (2), 189-196.

〔57〕 Sato, H., et al. (2011). Correlation of within-individual fluctuation of depressed mood with prefrontal cortex activity during verbal working memory task: optical topography study. *Journal of biomedical optics*, 16 (12). 126007-126014.

〔58〕 Robbins, T. W. (2005). Chapter VII Role of cortical and striatal dopamine in cognitive function. Dunnett, S. B. et al. eds., *Handbook of Chemical Neuroanatomy*, 21, 395-434. sole distributors for the U.S.A. and Canada, Elsevier.

〔37〕「電子情報通信学会技術研究報告」SP 音声 111（471）、南 他「折れ線近似による語彙爆発開始時期の推定」25-30、2012 年

〔38〕 Murray, C. J. L. & Lopez, A. D. (1996). Evidence-based health policy-lessons from the global burden of disease study. *Science*, 274 (5288), 740–743.

〔39〕 WHO: Global Health Estimates,
http://www.who.int/healthinfo/global_burden_disease/en/

〔40〕 Smith, K. (2011). Trillion-dollar brain drain, *Nature*, 478, 15.

〔41〕『日立評論』97 (09)、牧 他「脳の疾患に挑む」534–535、2015 年

〔42〕 Obata, A., et al. (2003). Acute effects of alcohol on hemodynamic changes during visual stimulation assessed using 24-channel near-infrared spectroscopy. *Psychiatry Research: Neuroimaging*, 123 (2), 145–152.

〔43〕 Monden, Y., et al. (2012). Right prefrontal activation as a neuro-functional biomarker for monitoring acute effects of methylphenidate in ADHD children: an fNIRS study. *NeuroImage: Clinical*, 1 (1), 131–140.

〔44〕 Monden, Y., et al. (2012). Clinically-oriented monitoring of acute effects of methylphenidate on cerebral hemodynamics in ADHD children using fNIRS. *Clinical Neurophysiology*, 123, 1147–1157.

〔45〕 Monden, Y., et al. (2015). Individual classification of ADHD children by right prefrontal hemodynamic responses during a go/no-go task as assessed by fNIRS. *NeuroImage: Clinical*, 9, 1–12.

〔46〕 Tokuda, T., et al. (2018). Methylphenidate-elicited distinct neuropharmacological activation patterns between medication-naive attention deficit hyperactivity disorder children with and without comorbid autism spectrum disorder: a functional near-infrared spectroscopy study. *Neuropsychiatry*, 8, 917–929.

〔47〕 Sutoko, S., et al. (2019). Distinct methylphenidate-evoked response measured using functional near-infrared spectroscopy during go/no-go task as a supporting differential diagnostic tool between attention-deficit/hyperactivity disorder and autism spectrum disorder comorbid children. *Frontiers in Human Neuroscience*, 13:7.

activity using noninvasive NIR topography. *Medical Physics*, 22 (12), 1997-2005.

〔**25**〕 MacLean, P. D. (1990). *The triune brain in evolution: role in paleocerebral functions*, New York and London, Plenum Press.

〔**26**〕 Jarvis, E., et al. (2005). Avian brains and a new understanding of vertebrate brain evolution. *Nature Reviews neuroscience*, 6, 151-159.

〔**27**〕 Yamashita, Y., et al. (2001). Wavelength dependence of the precision of noninvasive optical measurement of oxy-, deoxy-, and total-hemoglobin concentration. *Medical Physics*, 28 (6), 1108-1114.

〔**28**〕 牧 他（1995）特許 3543453 号

〔**29**〕 Soon, C. S., et al. (2008). Unconscious determinants of free decisions in the human brain. *Nature Neuroscience*, 11 (5), 543-545.

〔**30**〕 Utsugi, K., et al. (2007). Development of an optical brain-machine interface. *29th Annual International Conference of the IEEE Engineering in Medicine and Biology Society*, Lyon, 5338-5341.

〔**31**〕 Haida, M. (2000). Brain function of an ALS patient in complete locked-in state by using optical topography. *The frontier of Mind-Brain Science and Its Practical Applications*, 95-97.

〔**32**〕 Yutaka, Y., et al. (2008). High cognitive function of an ALS patient in the totally locked-in state. *Neuroscience Letter*, 435 (2), 85-89.

〔**33**〕 Ung, W. C., et al. (2017). Effectiveness evaluation of real-time scalp signal separating algorithm on near-infrared spectroscopy neurofeedback, *IEEE Journal of Biomedical and Health Informatics*, 22 (4), 1148-1156.

〔**34**〕 『騒音制御』13 (4)、志村 他「胎児をとりまく音環境」197-201、1989 年

〔**35**〕 Mehler, J. & Bever, T. G. (1967). Cognitive Capacity of Very Young children. *Science*, 158 (3797), 141-142.

〔**36**〕 Huttenlocher, P. R. (2002). *Neural plasticity- the effects of environment on the development of the cerebral cortex*. Cambridge Massachusetts, London, England, Harvard University Press.

〔13〕 W Penfield, W. & Boldrey, E. (1937). Somatic motor and sensory representation in the cerebral cortex of man as studied by electrical stimulation. *Brain*, 60 (4), 389-443.

〔14〕 Takahashi, K., et al. (2000). Activation of the visual cortex imaged by 24-channel near-infrared spectroscopy. *Journal of Biomed Optics*, 5 (1), 93-96.

〔15〕 Miyawaki, Y., et al. (2008). Visual Image Reconstruction from Human Brain Activity using a Combination of Multiscale Local Image Decoders, *Neuron*, 60 (5), 915-929.

〔16〕 Willyard, C. (2018). W New human gene tally reignites debate, *Nature*, 558 (7710), 354-355.

〔17〕 C. elegans Sequencing Consortium. (1998). Genome sequence of the nematode C. elegans: a platform for investigating biology. *Science*, 282 (5396), 2012-2018.

〔18〕 International Rice Genome Sequencing Project., Sasaki, T. (2005). The map-based sequence of the rice genome, *Nature*, 436, 793-800.

〔19〕 Schnable, P. S., et al. (2009). The b73 maize genome: complexity, diversity, and dynamics, *Science*, 326 (5956), 1112-1115.

〔20〕 Berger, H. (1929). Über das elektroenkephalogramm des menschen. *Archiv für Psychiatrie und Nervenkrankheiten*, 87, 527-570.

〔21〕 Cohen, D. (1968). Magnetoencephalography: evidence of magnetic fields produced by alpha-rhythm currents. *Science*, 161 (3843), 784-786.

〔22〕 Ogawa, S., et al. (1990). Brain magnetic resonance imaging with contrast dependent on blood oxygenation. *Proceedings of the National Academy of Sciences of the United States of America*, 87, 9868-9872.

〔23〕 Ogawa, S., et al. (1992). Intrinsic signal changes accompanying sensory stimulation: Functional brain mapping with magnetic resonance imaging. *Proceedings of the National Academy of Sciences of the United States of America*, 89, 5951-5955.

〔24〕 Maki, A., et al. (1995). Spatial and temporal analysis of human motor

参考資料

〔1〕 安藤寿康著『遺伝マインド』有斐閣、2011年

〔2〕 Ramachandran, V. S. & Rogers-Ramachandran, D. (1996). Synaesthesia in phantom limbs induced with mirrors. *Proceedings of the Royal Society of London B-Biological Sciences*, 263 (1369), 377-386.

〔3〕 ブレント・ガーランド編、古谷和仁／久村典子訳『脳科学と倫理と法―神経倫理学入門』みすず書房、2007年

〔4〕 Murakami, I. & Cavanagh, P. (1998). A jitter after-effect reveals motion-based stabilization of vision. *Nature*, 395, 798-801.

〔5〕 R. P. ファインマン著、大貫昌子訳『ご冗談でしょう、ファインマンさん』岩波現代文庫、1986年

〔6〕 Field, T. M., et al. (1984). Mother-stranger face discrimination by the newborn. *Infant Behavior and Development*, 7 (1), 19-25.

〔7〕 Perret, D. I., et al. (1982). Visual neurons responsive to faces in monkey temporal cortex. *Experimental Brain Research*, 47, 329-342.

〔8〕 Bedrosian, T. A., et al. (2018). Early life experience drives structural variation of neural genomes in mice. *Science*, 359 (6382), 1395-1399.

〔9〕 Maekawa, T., et al. (2010). Social isolation stress induces ATF-7 phosphorylation and impairs silencing of the 5-HT 5B receptor gene. *the EMBO Journal*, 29 (1), 196-208.

〔10〕 Seong, K-H., et al. (2011). Inheritance of Stress-Induced, ATF-2-Dependent Epigenetic Change. *Cell*, 145 (7), 1049-1061.

〔11〕 OECD教育研究革新センター編著、小泉英明監修、小山麻紀訳『脳を育む 学習と教育の科学』明石書店、2005年

〔12〕 小泉英明著『脳は出会いで育つ「脳科学と教育」入門』青灯社、2005年

著者プロフィール

牧 敦（まき あつし）

茨城県出身、東京都在住。株式会社日立製作所主管研究員。博士（工学）。1990年慶応義塾大学理工学研究科修了。日立製作所入社。1995年光を用いた脳機能画像計測技術を世界で初めて発表。論文被引用件数は約7,000、h-index 40、i10-index 90と企業研究者としてはトップレベルにあり、独自の脳機能計測技術を用いた脳科学研究で世界をリードしてきた。また、約200件の特許を取得し、1996年には脳機能計測技術のみならず光を用いた静脈認証技術についても国内で初めて特許取得。原理開発から社会への適用という「０から１」を産み出すことにこだわり、研究開発から新事業創設に尽力。光トポグラフィの医用・民生応用事業、脳科学を応用する新事業モデルを考案し、子どもの発達支援事業を立ち上げてきた。心は環境と脳の相互作用で生成されることに着眼し、心的価値を向上する産業や社会環境が発展することを科学的に予見。現在、心の理解および心と環境の共鳴を柱とした研究開発を深耕している。2002年 R&D100、2003年大河内賞記念賞、全国発明表彰・21世紀奨励賞、2005年文部科学大臣表彰（研究部門）、2010年グッドデザイン・フロンティアデザイン賞、2019年山崎貞一賞など、自然科学／工学／産業／デザインに関する受賞多数。

心にひびくデザイン

2021年４月15日　初版第１刷発行

著　者　牧 敦
発行者　瓜谷 綱延
発行所　株式会社文芸社
〒160-0022　東京都新宿区新宿１－10－１
電話　03-5369-3060（代表）
03-5369-2299（販売）

印刷所　図書印刷株式会社

ISBN978-4-286-20940-1